VENISE

EN QUELQUES JOURS

D1228033

ALISON BING

Venise en quelques jours
2e édition, traduit de l'ouvrage *Venice Encounter (2nd edition)*, *November 2010*
© Lonely Planet Publications Pty Ltd 2010
Tous droits réservés

Traduction française :

© **Lonely Planet 2011,**
12 avenue d'Italie, 75627 Paris cedex 13
☎ 01 44 16 05 00
📧 bip@lonelyplanet.fr
💻 www.lonelyplanet.fr

Dépôt légal : Mars 2011
ISBN 978-2-81610-901-6

Responsable éditorial Didier Férat
Coordination éditoriale Nicolas Guérin
Coordination graphique Jean-Noël Doan
Maquette Gudrun Fricke
Cartographie Nicolas Chauveau
Couverture Jean-Noël Doan et Alexandre Marchand
Traduction Anne Caron, Mélanie Marx et Pascal Tilche
Merci à Christiane Mouttet pour son travail sur le texte et
à Venice Vaporetto map © Actv SpA 2008

© Lonely Planet Publications Pty Ltd 2011
Tous droits réservés

Imprimé par L.E.G.O. Spa
(Legatoria Editoriale Giovanni Olivotto)
Imprimé en Italie

COMMENT UTILISER CE GUIDE
Codes couleur et cartes
Des symboles de couleur représentant les sites et
les établissements figurent dans les chapitres et
sont reportés sur les cartes correspondantes afin
de les localiser rapidement. Les restaurants, par
exemple, sont indiqués par une fourchette verte.

À chaque quartier correspond aussi une couleur
spécifique, reprise dans les onglets du chapitre qui
lui est consacré.

Prix
Les différents prix (par exemple 10/5 € ou
10/5/20 €) correspondent aux tarifs adulte/
enfant, normal/réduit/enfant.

Vos réactions ? Vos commentaires nous sont très
précieux et nous permettent d'améliorer constamment
nos guides. Notre équipe lit toutes vos lettres avec la
plus grande attention et prend en compte vos remarques
pour les prochaines mises à jour.

Pour nous faire part de vos réactions, prendre
connaissance de notre catalogue et vous abonner à
Comète, notre lettre d'information, consultez notre site
web : **www.lonelyplanet.fr**

Nous reprenons parfois des extraits de notre courrier
pour les publier dans nos produits, guides ou sites web.
Si vous ne souhaitez pas que vos commentaires soient
repris ou que votre nom apparaisse, merci de nous le
préciser. Pour connaître notre politique en matière de
confidentialité, connectez-vous à :
www.lonelyplanet.fr/confidentialite/index.cfm

ALISON BING

Quand elle ne griffonne pas, assise dans les églises, ou n'écume pas les restaurants des différents quartiers de Venise, Alison écrit pour les guides Lonely Planet (*Italie, Milan* et *Toscane et Ombrie*), ainsi que pour des magazines d'architecture, de cuisine et d'art comme *Architectural Record, Cooking Light* et *Flash Art*. Elle vit actuellement entre San Francisco et une ville perchée sur une colline, entre le Latium et la Toscane, avec son compagnon (membre de Slow Food, comme elle), Marco Flavio Marinucci. Malgré une licence d'histoire de l'art et une respectable maîtrise de la Fletcher School of Law and Diplomacy, des universités de Tufts et de Harvard, ses chroniques culturelles dans les journaux, les magazines et à la radio manquent singulièrement d'orthodoxie.

REMERCIEMENTS

Complimenti e grazie tanto a Davide Amadio, Jane et Luigi Caporal, Sigfrido Cipolato, Rosanna Corró, Giovanni d'Este, Francesca Forni, Francesco et Matteo Pinto et Cristina Bottero de l'office du tourisme de Venise. *Mille grazie e baccione alla mia famiglia a Roma e Stateside*, aux Bing, aux Ferry, aux Marinucci et aux Cockrells ; *come sempre* à Paula Hardy, guide intrépide ; un retentissant *brava !* à Sasha Baskett et Jo Pott, mes éditeurs, et un grand bravo à Herman So, cartographe des *calle* vénitiennes ; *ma sopra tutto* à Marco Flavio Marinucci, à qui je dois tout.

Ce livre est dédié aux *voáltri venexiani,* gardiens de l'âme de la ville.

À nos lecteurs Un grand merci aux voyageurs qui nous ont écrit pour nous livrer conseils et anecdotes, en particulier à Laurence Bedirian, Michel Bougnol, Martine Buffet, Christophe Menant, G. Panthou, Alain Rondeau,

Photographies p. 52, p. 76, p. 93, p. 116, p. 129, p. 143 Alison Bing ; p. 12, p. 16 The Bridgeman Art Library ; p. 17 David Kilpatrick/Alamy ; p. 26 Christine Widdall/Alamy ; p. 134 Travelshots.com/Alamy ; p. 130 Marco Ferracuti/Figli delle Stelle ; p. 18 Dan Kitwood/Getty Images ; p. 29 Christophe Simon/AFP/Getty Images ; p. 27 Mark Edward Smith/Photolibrary. Toutes les autres photos sont de Lonely Planet Images et Krzysztof Dydynski, excepté les suivantes : p. 64 Glenn Beanland ; p. 68, p. 160 Diana Mayfield ; p. 30 Roberto Soncin Gerometta ; p. 102 John Hay ; p. 156 Karl Blackwell ; p. 20, p. 126 Richard Cummins ; p. 144 Greg Elms ; p. 138 Jon Davison ; p. 31 Holger Leue ; p. 25 David Tomlinson ; p. 21, p. 32 (en haut à gauche), p. 34, p. 118, p. 163 Brent Winebrenner ; p. 8, p. 14, p. 19, p. 27, p. 57, p. 99 Juliet Coombe.
Couverture Venise, San Giorgio Maggiore, gondole et Bacino San Marco.

Toutes les photos sont sous le copyright des photographes sauf indication contraire. La plupart des photos publiées dans ce guide sont disponibles auprès de l'agence photographique Lonely Planet Images : www.lonelyplanetimages.com

La promenade en gondole (p. 181) : une tradition incontournable… et inoubliable !

SOMMAIRE

Pourquoi nos renseignements touristiques sont-ils les meilleurs du monde ? C'est simple : nos auteurs sont des voyageurs indépendants et consciencieux. Ils ne se contentent pas d'Internet ou du téléphone pour faire leurs recherches, et n'acceptent aucune gratification en échange de leurs éloges. Ils parcourent de grandes distances, se rendent dans les sites touristiques aussi bien que loin des sentiers battus. Ils visitent personnellement des centaines d'hôtels, restaurants, cafés, bars, galeries, palais, musées et plus encore, et s'enorgueillissent de rendre telle qu'elle est la réalité dont ils sont témoins.

BIENVENUE À VENISE !

À l'approche de la basilique Saint-Marc,
un bourdonnement se dégage de la foule.
Touristes, étudiants en art ou nonnes, tous
se laissent bientôt happer par l'atmosphère
si particulière de la cité des Doges.

Venise est un théâtre aux multiples décors : I Frari, les Gallerie dell'Accademia,
la Scuola Grande di San Rocco ou encore La Fenice… Après avoir fait le tour
de ces splendeurs, passez dans les coulisses et découvrez, à l'arrière du décor,
un dédale de *sottoporteghi* (passages). C'est dans les *calli* (rues), en retrait
des axes principaux de San Marco, que se joue le véritable spectacle de Venise :
artisans s'activant dans leurs studios, cuisiniers préparant de succulents *cicheti*
(tapas vénitiennes), musiciens se rendant à leurs répétitions de musique
de chambre… Les rues résonnent des bruits étouffés de voisins se faisant
la bise ou du trottinement de petits chiens.

Les Vénitiens n'ignorent pas que Venise est en plein naufrage, mais
la ville a toujours survécu aux pires catastrophes : la peste, les invasions et
les inondations. Son secret ? Sa créativité. Les Vénitiens ont peint des chefs-
d'œuvre, imaginé de nouveaux styles architecturaux et musicaux. La montée
des eaux est une chose, mais les vagues de touristes constituent un nouveau
fléau. Chaque année, des millions de visiteurs débarquent pour "faire" Venise
en trois heures. S'ils demandaient tous le chemin pour la place Saint-Marc,
chaque Vénitien serait interpellé 333 fois par an !

Mais ce ne sera pas votre cas. Une excellente carte et ce guide en poche,
vous poserez les bonnes questions aux Vénitiens : Quel est le meilleur
restaurant ? Quel est le meilleur plat ? Quels sont les lauréats de la Mostra
(Festival international du film de Venise) ? Et surtout : quoi de neuf à Venise ?
Entre concerts de musique baroque, galeries d'art contemporain occupant
d'anciens entrepôts et nouveaux hôtels installés dans des bâtiments
historiques, vous arrivez au bon moment : le spectacle peut commencer.

En haut à gauche Une autre perspective sur le campanile (p. 44) **En haut à droite** En bois, moi ? À la Fiorella Gallery
(p. 49), des mannequins au regard si humain **En bas** Des gondoles, un polo à rayures, pas de doute, c'est Venise !

>LES INCONTOURNABLES

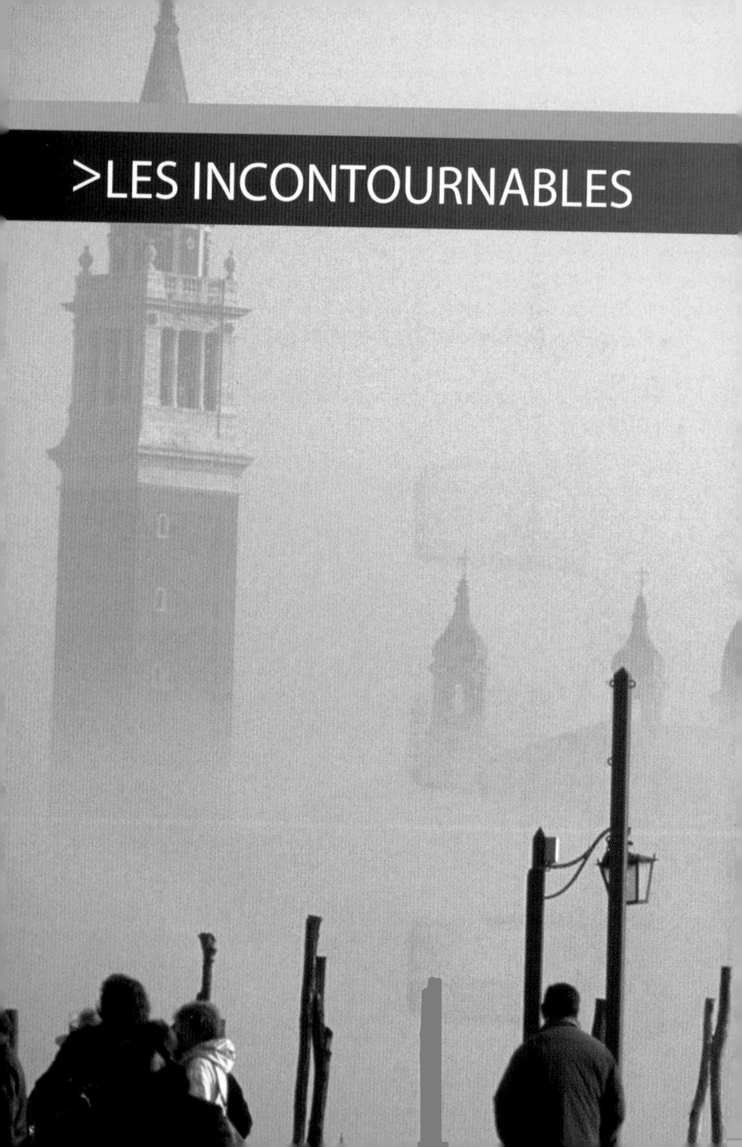

La place Saint-Marc (p. 40) émerge de la brume matinale

>1 BASILIQUE SAINT-MARC

ADMIRER LE MONUMENT EMBLÉMATIQUE DE VENISE DU MATIN AU SOIR

La question n'est pas de savoir si vous devez visiter la célèbre basilique, mais quand. Certains ne jurent que par le matin, quand les millions de tessellles s'illuminent. Les romantiques préfèrent le crépuscule, lorsque les mosaïques du portail s'embrasent sous les rayons du soleil couchant et que la place Saint-Marc résonne des rythmes de tango provenant de l'orchestre du Caffè Florian. La solution ? Allez-y sans attendre et revenez souvent. La basilique dégage à toute heure une magie que les meilleurs effets spéciaux hollywoodiens seraient bien incapables d'imiter.

L'origine de l'édifice remonte à 828, quand des marchands vénitiens s'emparèrent des restes de saint Marc et les emportèrent hors d'Égypte. Venise avait alors tout pour devenir une grande puissance marchande : quantité de ports, un emplacement inexpugnable, et un saint patron pour veiller sur les transactions… Il manquait juste à la cité le monument qui l'imposerait sur l'échiquier mondial. Il fut ainsi commandé aux meilleurs artisans de Byzance et au-delà un édifice pour abriter les reliques du saint et incarner la puissance de Venise.

La construction de la basilique ne fut pas sans problème. Les émeutes et les incendies, courants au Moyen Âge, détruisirent à deux reprises les

LES 5 INCONTOURNABLES DE SAINT-MARC

> La coupole de l'Ascension – le dôme central couvert d'or, la ronde d'anges et saint Marc au regard songeur sur le pendentif (qui soutient le dôme) sont éblouissants.
> La Pala d'Oro – la finesse des miniatures en émail représentant les apôtres éclipse les 2 000 pierres précieuses ornant le splendide retable.
> Le dôme de la Genèse – créées 650 ans avant l'art abstrait et le hip-hop, ces mosaïques médiévales illustrent la séparation de l'eau et du ciel et montrent des anges esquissant des pas de danse.
> Les *pavimenti* – les motifs des sols en mosaïques polychromes produisent un vertigineux effet optique.
> La Loggia dei Cavalli – quatre chevaux de bronze se dressent au-dessus du portail principal de la basilique et dominent la place Saint-Marc.

mosaïques extérieures et fragilisèrent la structure porteuse. Les plafonds s'affaissent et les modes évoluant, Jacopo Sansovino et d'autres architectes ajoutèrent contreforts, arches gothiques et marbres polychromes pillés ou achetés. Parfois, les voies du Seigneur furent obscurcies par la poussière des travaux : les os de saint Marc furent égarés deux fois.

Avant la fin du XVIIIe siècle, Venise était devenue une brillante capitale cosmopolite. Aujourd'hui, en dépit des marées hautes qui inondent régulièrement la place, la basilique demeure une merveille architecturale.

Voir aussi p. 41.

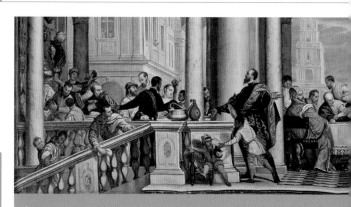

>2 GALLERIE DELL'ACCADEMIA

DÉCRYPTER DES ŒUVRES QUI ONT SUSCITÉ DURANT DES SIÈCLES SCANDALE ET ADMIRATION

Battant le pavé dans la queue pour entrer aux Gallerie dell'Accademia, vous vous demanderez sans doute si l'attente en vaut la peine. Patience : bientôt, les groupes d'étudiants se disperseront et laisseront place au fier *Saint Georges* d'Andrea Mantegna (1466) et à l'*Autoportrait* de Rosalba Carriera (1730), d'un réalisme sans concession.

    Malgré son nom, l'Accademia n'est pas un temple de l'académisme. Au contraire, c'est le théâtre d'histoires rocambolesques aux personnages inoubliables, de sombres complots et de scandales croustillants. La ravissante *Vierge* de Giovanni Bellini est auréolée de

5 PORTRAITS SAISISSANTS DE VÉRITÉ
> *La Vieille*, de Giorgione
> *Portrait d'un jeune homme*, de Hans Memling
> *La Bénédiction de Lorenzo Giustinian*, de Gentile Bellini
> *La Devineresse*, de Giovanni Battista Piazzetta
> *Portrait d'un jeune homme triste*, de Lorenzo Lotto

chérubins écarlates. Une élégante couverte de bijoux vole la vedette à la Madone dans la *Présentation de la Vierge au temple* de Titien. L'illustration par le Tintoret de la création des animaux, inspirée de l'Ancien Testament, est très vénitienne avec ses lions (symbole de saint Marc) et ses poissons mutants que les marchands de la Pescheria vendraient sans aucun doute au rabais ! *Le Miracle du serpent de bronze*, de Giambattista Tiepolo, fut roulé en hâte par des spectateurs épouvantés ; et en a conservé une cicatrice. Les amateurs d'horreur ne manqueront pas la *Crucifixion et apothéose des dix mille martyrs du mont Ararat* de Vittore Carpaccio. Le fondateur du célèbre Harry's Bar a été inspiré de donner le nom du peintre à un non moins célèbre plat de bœuf cru…

Mais l'artiste le plus controversé fut sans conteste Véronèse, avec son *Repas chez Lévi* (détail ci-dessus), intitulé à l'origine *La Cène*, avant que l'Inquisition condamne Véronèse pour avoir peint les apôtres entourés d'une bande d'ivrognes, de nains, de chiens et même de luthériens allemands . Véronèse, soutenu par les Vénitiens, refusa formellement de modifier l'œuvre et ne céda que sur le titre. Admirez les échanges, les gestes et les regards qui se croisent entre les personnages – vous conviendrez que chacun, du marchand maure au serveur maladroit, des joueurs aux chiens, occupe une place indispensable dans cette composition bigarrée, à l'image de Venise elle-même.

Voir aussi p. 112.

>3 MARCHÉS EN PLEIN AIR

**TROUVER TOUS LES INGRÉDIENTS DES PLATS
TRADITIONNELS VÉNITIENS SUR LES ÉTALS**

Les chefs vénitiens ont un secret : utiliser exclusivement des produits frais, saisonniers et locaux. La Pescheria (marché aux poissons, p. 94) ravira les gourmets et les curieux, qui s'amuseront à repérer le *moscardino* (petit poulpe) ou, dans l'incroyable choix de crabes, les minuscules *moeche* (crabes à carapace molle) et les *granseole* (araignées), et saliveront devant les *seppie* (encornets) de toutes les tailles.

Les produits cultivés en Vénétie et vendus sur les étals des marchés du Rialto (p. 94) et près des canaux (voir l'encadré p. 95) n'ont bien évidemment rien à voir avec les fruits et légumes calibrés des supermarchés. Les petits *castraure* (jeunes artichauts) de couleur pourpre, les asperges blanches de Bassano et le *radicchio di Treviso* présentent des formes et des teintes surprenantes. Même les légumes et les fruits les plus familiers sont méconnaissables… et tellement savoureux ! Des tomates aux piments rouges en passant par les petites fraises juteuses, à Venise, tout est meilleur !

>4 LE TINTORET

REPÉRER LES ÉCLAIRS DANS LES CIELS ORAGEUX DU MAÎTRE DU MANIÉRISME

Les coups de pinceau du Tintoret illuminent de l'intérieur les scènes les plus classiques plus sûrement qu'un éclair. Si ses sujets lui étaient imposés par ses commanditaires (scènes bibliques, allégories mythiques, apologie de la grandeur de Venise…), le peintre les personnalisait par un éclairage particulier, des fonds orageux et des perspectives vertigineuses.

La découverte de l'œuvre du Tintoret commence dans son atelier (Bottega del Tintoretto, p. 81). Elle se poursuit dans son église paroissiale, la Chiesa della Madonna dell'Orto (p. 74), dont l'édifice en brique offre un cadre serein à son *Jugement dernier* (1546). En authentique Vénitien, le Tintoret représente la scène comme une marée turquoise que les âmes en peine cherchent vainement à retenir, figurant une sorte de version humaine et prémonitoire du projet MOSE (voir l'encadré p. 170). L'image singulière de cet ange plongeant pour arracher une ultime victime a été reprise par le Tintoret à l'étage de la Scuola Grande di San Rocco (photo ci-dessus, p. 86), où il passa 23 années à célébrer le saint patron des pestiférés. Ses scènes bibliques ressemblent ici à une bande dessinée dont le fond s'assombrit pour illustrer le cataclysme des derniers jours du Christ et la peste noire, et où l'obscurité est déchirée par des éclairs aveuglants symbolisant l'espoir.

>5 TITIEN

SUIVRE LA PISTE DU MAÎTRE DE LA PEINTURE VÉNITIENNE D'UN CHEF-D'ŒUVRE À L'AUTRE

Pour admirer l'art de Titien à Venise, inutile de chercher bien longtemps. La moindre petite ruelle dissimule un chef-d'œuvre du maître incontesté de la peinture vénitienne. Son œuvre d'une grande intensité dramatique connut beaucoup de succès de son vivant et influença des générations de peintres. Le retable de *Saint Marc entouré de saint Côme, saint Damien, saint Roch et saint Sébastien* (1510), dans l'église Santa Maria della Salute (p. 109), montre un Titien mesuré et méthodique, dont la souplesse du pinceau et le rouge vermillon insufflent à cette scène classique un dynamisme indéniable. La vision des corps contorsionnés du *Jugement dernier* de Michel-Ange va bouleverser Titien, qui laisse alors s'exprimer toute la violence de son génie. Cela est très perceptible dans la *Pietà* (1576), œuvre pour laquelle il appliqua la peinture à mains nues.

L'Assomption de la Vierge, dans l'église I Frari (photo ci-dessus et p. 84) se distingue comme le chef-d'œuvre absolu de Titien. L'artiste représente la Vierge s'élevant au-dessus des mortels, soutenue par des anges. Sa robe rouge illumine le retable et rayonne dans toute la nef. Son poignet pâle, dénudé par un glissement de la manche, troublait apparemment les prêtres au point de les distraire de leurs prières…

>6 LA BIENNALE

DEVANCER LES NOUVEAUX COURANTS ARTISTIQUES AU GRAND RENDEZ-VOUS DE L'ART CONTEMPORAIN

La Biennale d'art contemporain de Venise fut créée en 1895 en réaction à la révolution industrielle pour réaffirmer l'autorité du bon goût vénitien. À l'origine, la Biennale était une institution conservatrice. Un imposant pavillon offrait une présentation inoffensive des dernières tendances artistiques italiennes. La Fondation de la Biennale autorisa d'autres nations à ouvrir des pavillons en 1907, tout en conservant un droit de regard sur les œuvres. C'est ainsi que Picasso fut retiré du pavillon espagnol en 1910 pour épargner un choc au public.

Après l'atrocité des deux guerres mondiales, ces scrupules disparurent. La Biennale organisée au lendemain de la Première Guerre mondiale présenta les œuvres d'Amedeo Modigliani : ses femmes aux yeux vides firent beaucoup parler d'elles. Venise n'adopta pas immédiatement le modernisme, mais se découvrit un intérêt pour la controverse artistique, alimentée par l'avant-garde artistique et architecturale présentée dans les nouveaux pavillons coréen, japonais et canadien. Les deux événements très attendus que constituent l'exposition d'architecture avant-gardiste de l'automne, qui se tient les années paires dans les locaux historiques de l'Arsenal, et celle d'art contemporain, qu'accueillent l'été des années impaires les pavillons de la Biennale et l'Arsenal, sont accompagnés d'expositions satellites un peu partout en ville.

Voir aussi p. 29 et p. 59.

>7 LA MOSTRA

RECONNAÎTRE LES STARS AU FESTIVAL DU FILM DE VENISE

Lorsque le comité de la Biennale de Venise annonça la création d'un festival de cinéma en 1932, il dut subir les sarcasmes de ceux qui méprisaient cette concession à un genre populaire. Mais la présence de Greta Garbo, Joan Crawford ou Clark Gable sur le tapis rouge, et les quelque 25 000 personnes présentes aux projections, fit de la première édition du festival aux Lions d'or un succès artistique, populaire et mondain.

Depuis lors, la Mostra s'est attachée à maintenir exigence artistique et aura internationale. Juste après le festival de Cannes, c'est l'une des principales célébrations du cinéma dans le monde. Sans jamais avoir été une vitrine pour les films indépendants, la Mostra se plaît à distinguer des réalisateurs créatifs. Les jurys successifs ont ainsi décerné le prestigieux Lion d'or à John Cassavetes (*Gloria*), Robert Altman (*Short Cuts*) ou Sofia Coppola (*Somewhere*), et primé des monstres du cinéma comme Woody Allen, Takeshi Kitano, Martin Scorsese ou encore Zhang Yimou.

Voir aussi p. 29 et p. 135.

>8 LE GHETTO

EXPLORER L'ANCIEN QUARTIER JUIF, LA "CITY" DE VENISE À LA RENAISSANCE

En observant la place centrale du Ghetto (p. 71), avec son sol irrégulier et ses façades délabrées, il est difficile de croire que ce fut jadis le centre financier d'un empire. Selon un décret de 1516 de la république de Venise, les prêteurs juifs finançaient le commerce vénitien le jour et étaient consignés dans le Ghetto la nuit et durant les fêtes chrétiennes.

Lorsque les marchands juifs fuyant l'Inquisition espagnole affluèrent à Venise en 1541, il fallut construire, faute d'espace. Des étages furent ajoutés aux immeubles existants du Ghetto, où l'on logea les nouveaux arrivants et l'on aménagea des synagogues. De l'autre côté de la ville, grâce aux prêteurs et aux artisans juifs, la Renaissance était en marche et remplissait les palais et les églises de trésors inestimables. De restrictions papales en épidémie de peste, le Ghetto ne comptait plus que 3 000 habitants en 1670.

Reconnus par Napoléon comme citoyens de plein droit en 1797, les juifs furent ramenés au XVIe siècle par les lois raciales imposées par Mussolini en 1938. En 1943, la majorité des 1 670 juifs vénitiens furent raflés et envoyés en camp de concentration. Seuls 37 en revinrent. La communauté juive de Venise ne compte plus que 420 personnes, mais les enfants qui jouent sur la place montrent que la vie continue dans le Ghetto. Pour visiter les sept minuscules synagogues (photo ci-dessus), suivez la visite du Museo Ebraico di Venezia (p. 74).

>9 UNE NUIT À L'OPÉRA

S'ENIVRER DES VOIX DES DIVAS À LA FENICE

Quel que soit le spectacle, La Fenice (p. 57) promet du grand théâtre.
Avant même que les portes s'ouvrent, les artistes ébouriffés et les
mondains coiffés de chapeaux se pressent dans les cafés de la place pour
avaler un verre de *prosecco* suivi d'un expresso. Après avoir rejoint leur
place, les spectateurs des premières loges ôtent leur manteau, révélant
bijoux et perles en verre de Murano. Plus haut, aux balcons (*loggie*), moins
coûteux, les *loggione* (critiques d'opéra) échangent des pronostics :
quel chanteur est en voix, quelles doublures seront promues. Entre
les amateurs d'architecture, les débats font rage : la rénovation réalisée
après l'incendie de 1998, d'un montant de 90 millions d'euros, est-elle
fidèle ? Le style baroque en "pièce montée inversée" aurait-il dû être
modernisé par l'architecte Gae Aulenti, comme cela était prévu à
l'origine ? Dès les premières notes, le silence se fait et l'excitation devient
palpable. Personne ne veut perdre une note d'un spectacle qui entrera
peut-être dans les annales, à l'instar des premières de Stravinsky, Rossini,
Prokofiev, Britten et, bien entendu, Giuseppe Verdi.

>10 EN COULISSES

FUIR LES SENTIERS BATTUS ET EXPLORER DES COURS ET DES PALAIS IGNORÉS DES TOURISTES

Comment ne pas plaindre les groupes lâchés dans San Marco avec trois heures pour "faire" Venise, alors que cela suffit à peine à contempler la place Saint-Marc, sans parler du reste de la cité, dont ils ne verront que les portails gothiques ? Même en quittant les itinéraires balisés, des panneaux jaunes vous indiquent la direction de San Marco depuis le Rialto, les Gallerie dell'Accademia et la gare ferroviaire. L'aventure vous attend dans le réseau de rues (*calli*), passages (*sottoporteghi*) et canaux, à condition de respecter une consigne : *ignorez les pancartes*.

Avec un soupçon d'intrépidité et une bonne carte, vous découvrirez l'envers du décor et saurez ce que cachent les façades qui bordent le Grand Canal. Vous dénicherez d'authentiques restaurants dans les cours (*cortili*) secrètes, passerez la nuit dans un palais et vous réveillerez aux cris des gondoliers manœuvrant leur embarcation. Accoudé à un bar (*bacaro*), vous verrez les visiteurs d'un jour se presser pour attraper un train, un avion ou un bus. Ayez donc une pensée pour eux en savourant votre café.

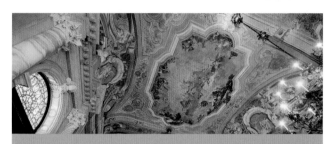

>11 CA' REZZONICO

SE PLONGER DANS LA VENISE DU XVIIIᵉ SIÈCLE

On dit souvent que la gloire de Venise prit fin au XVIᵉ siècle, alors que la cité était encore "jeune". Cette théorie est totalement démentie par la Ca' Rezzonico, le musée du XVIIIᵉ siècle vénitien. Les collections rassemblées dans ce palais offrent en effet l'occasion de découvrir le mode de vie de la noblesse vénitienne à la fin de la république.

Sous des abords somptueux, la Ca' Rezzonico ne manque pas de malice. Vaste et lumineux sans céder au kitsch, ce palais fut conçu par Baldassare Longhena. Giambattista Tiepolo couvrit les plafonds de représentations flatteuses de Ludovico Rezzonico, le montrant avec sa fiancée entouré de la Gloire, la Sagesse et le Mérite. Les trompe-l'œil ornant les dômes sont si habiles, si pittoresques et si théâtraux que l'on ne peut s'empêcher de déceler chez Tiepolo une certaine espièglerie.

Au XVIIIᵉ siècle, ayant survécu à la peste, résisté aux envahisseurs turcs et vu leurs ambitions de domination mondiale écrasées, les Vénitiens étaient résolus à défier le mauvais sort. L'art de cette époque illustre cette attitude de manière tragi-comique. Des satires de Pietro Longhi décorent un salon entier de la Ca' Rezzonico. Dans *Le Chocolat du matin* (1775) par exemple, d'élégants Vénitiens se goinfrent de chocolat (boisson en vogue) et de beignets, au risque de faire éclater leurs boutons de gilets ou d'encourir les foudres du petit chien désapprobateur. Dans ses portraits au pastel, Rosalba Carriera restitue toute la malice de ses modèles, dont les petits sourires trahissent un goût certain pour la fête.

Voir aussi p. 109.

>12 MUSIQUE BAROQUE

REDÉCOUVRIR UN GENRE AUTREFOIS CONTESTATAIRE

Lassé de la pop remâchée et du jazz trop classique ? Venise vous réserve une alternative : la musique baroque. À son époque, le baroque vénitien défiait ouvertement les édits de Rome qui décidaient des instruments autorisés à accompagner les sermons et des rythmes et mélodies dignes d'élever les esprits. Les Vénitiens continuèrent à jouer des instruments à cordes dans les églises, à reprendre les chansons paillardes de l'*opera buffa* (opéra-comique) et à composer des morceaux évoquant tout le champ des émotions. Aujourd'hui, le baroque est souvent rabaissé au rang de musique d'ambiance pour cérémonie de mariage, mais des ensembles de baroque ancien, comme le Venice Baroque Opera, respecté dans le monde entier, interprètent sur des instruments originaux du XVIIIᵉ siècle des morceaux de cette époque et prouvent que le genre n'a rien perdu de sa modernité.

Le plus célèbre compositeur vénitien, Vivaldi, est surtout connu pour ses *Quatre Saisons*, évocatrices des ascenseurs d'hôtel et des sonneries de téléphones portables. Les Interpreti Veneziani (p. 97) vous convaincront cependant de la splendeur de cette œuvre magistrale, entre orages d'été et pluies de printemps. Tomaso Albinoni est un autre grand compositeur de l'époque baroque, souvent au programme des concerts vénitiens.

Choisissez soigneusement la salle : les concerts baroques donnés dans l'intimité de la Casa di Goldoni (p. 84), à la Ca' Rezzonico (p. 109) ou encore à l'Ospedaletto (photo ci-dessus, p. 63) vous transporteront instantanément au XVIIIᵉ siècle.

>13 BURANO ET TORCELLO

EXPLORER LES ÎLES DE LA LAGUNE

Venise vous semble défier le bon sens (pourquoi avoir choisi une lagune limoneuse pour bâtir une ville) ? Attendez d'avoir vu les îles de Burano (p. 140) et de Torcello (p. 144).

Les petites rues de Burano sont un paradis pour les photographes, qui mitraillent les jardinières turquoise remplies de géraniums rouges et les bas verts séchant entre les maisons roses et orange. Une loi oblige-t-elle les habitants à peindre leurs maisons de couleurs vives et à porter des sous-vêtements dans des teintes complémentaires ? Burano est sans conteste le village de pêcheurs le plus coquet du Bassin méditerranéen.

Outre une vingtaine d'habitants, l'île bucolique de Torcello est principalement occupée par des moutons et il est bien difficile de croire qu'une métropole byzantine de 20 000 personnes s'étendait autrefois sur l'île. Les superbes mosaïques de la cathédrale Santa Maria Assunta sont pourtant là pour en témoigner. Celle du *Jugement dernier* montre Jésus détruisant les portes de l'enfer. Une nymphe marine, allégorie de l'Adriatique, mène les âmes perdues en mer vers Pierre, qui, muni des clefs du paradis, a des airs de videur de boîte de nuit ! Outre les mosaïques byzantines, souvent comparées à celle de la basilique Saint-Marc, Torcello vaut aussi le détour pour son atmosphère sauvage, bien loin des rues et des monuments de Venise.

>14 PALAIS DES DOGES
ENTREVOIR LE CÔTÉ OBSCUR DE LA VIE À VENISE

De l'extérieur, les superbes façades de style gothique flamboyant du palais des Doges ne sont qu'élégants murs de brique et gracieuses colonnes. Mais l'intérieur du palais révèle les sombres secrets de ceux qui dirigeaient autrefois la cité. Derrière le luxueux salon orné de chérubins et d'allégories de la Vertu triomphant du Vice, peints par Véronèse, se cachait le siège secret du mystérieux Conseil des Dix (Consiglio dei Dieci), version vénitienne de la CIA. Les Piombi, geôles redoutées, occupaient le grenier. Accusé d'avoir corrompu des nonnes et propagé la franc-maçonnerie, Casanova y fut emprisonné durant cinq ans. Il parvint à s'en échapper en 1757.

Le fascinant circuit Itinerari Segreti (Itinéraires secrets) vous permettra de suivre les pas de Casanova et de visiter des parties moins connues du palais. Le guide vous conduira ainsi des bureaux administratifs du Conseil des Dix à une pièce sans fenêtre dotée d'une corde : la chambre de torture du doge. Elle tomba en désuétude au XVIIᵉ siècle, au contraire des cellules où les accusés attendaient leur jugement. La Venise de la Renaissance se méfiait en effet des rebelles : ceux qui contestaient le gouvernement (représenté sous son meilleur jour à l'étage du dessous) pouvaient finir dans les combles. Le circuit dure 1 heure 30 et les billets s'achètent à la billetterie du palais.

Voir aussi p. 45.

>15 PUNTA DELLA DOGANA

DÉCOUVRIR LES FIGURES CONTROVERSÉES DE L'ART CONTEMPORAIN

Les entrepôts anciens font bien souvent de parfaits espaces d'art contemporain. Aussi François Pinault, lorsque le Palazzo Grassi (p. 47) se trouva trop étroit pour contenir sa collection, demanda-t-il à l'architecte japonais Tadao Ando de transformer l'entrepôt douanier de la Punta della Dogana en espace d'exposition. Trois ans plus tard, les murs de cet édifice triangulaire du XVIIe siècle accueillent les figures controversées de l'art contemporain.

Après avoir franchi le rideau de perles rouge sang de l'artiste cubain Felix Gonzalo-Torres, vous serez frappé par la présence incongrue d'un cheval empaillé dont l'arrière du corps est suspendu au mur, tel un trophée de chasse. Cette œuvre de Maurizio Cattelan surplombe des piédestaux translucides moulés par Rachel Whiteread sous des chaises. Plus dérangeant est *Fucking Hell !*, de Dinos et Jake Chapman, où les neufs cercles de l'enfer sont peuplés par 30 000 figurines de nazis. Certaines œuvres sont apparemment trop polies pour être honnêtes, comme par exemple ces villes miniatures, inspirées par la mythologie des super-héros, exposées par Mike Kelley dans une galerie obscure qui jouxte la librairie café du musée. Pour en savoir plus, voir p. 114.

>AGENDA

"Interdiction de jeter des détritus dans les canaux, de dégrader les bâtiments anciens et de se promener torse nu", peut-on lire en substance sur les affiches placardées aux arrêts de *vaporetto*. Il est vrai qu'à Venise les occasions de s'exprimer sans retenue ne se limitent pas à la période du Carnaval et que biennales, marathons et épousailles de la mer satisferont les goûts les plus divers. Une mise en garde cependant : cette ville semble prendre un malin plaisir à tout faire pour que vous vous retrouviez à l'eau. Traverser des ponts flottants, ramer debout sur un bateau ou longer un canal après une soirée bien arrosée n'est pas sans risque. On vous aura prévenu !

Ne manquez pas les spectaculaires feux d'artifice lors de la Festa del Redentore (p. 29)

FÉVRIER

Carnaval

www.carnevale.venezia.it

Ni Napoléon ni Mussolini n'ont réussi à supprimer la plus grande manifestation de l'année. Les Vénitiens en costume de commedia dell'arte font la fête dans la rue – et tombent à l'occasion dans les canaux. Au bout de dix jours, il arrive que l'on se sente barbouillé ou que l'on ne supporte plus le contact de la perruque. Imaginez ce que c'était au XVIIIe siècle, lorsque les festivités duraient trois mois.

AVRIL

Festa di San Marco

www.comune.venezia.it

Le jour de la Saint-Marc, patron de la ville, les hommes forment des processions sur la célèbre place et offrent un *bocolo* (bouton de rose) aux femmes de leur vie.

Le Carnaval, de quoi effrayer les enfants !

5 IDÉES POUR CARNAVAL

> Tacler un adversaire en hauts-de-chausses lors du Calcio Storico, un match de foot en costume médiéval organisé sur la place Saint-Marc.
> Déguster des *fritelle* (beignets au rhum et aux raisins) encore tièdes.
> Danser toute la nuit lors du grand bal masqué à La Fenice (le prix des billets démarre à 200 €, location de costume et cours de danse non compris).
> Installer son pliant au bord de l'eau pour la parade sur le Grand Canal.
> Créer son costume ou s'essayer au théâtre masqué dans l'un des ateliers du Teatro Junghans (p. 131).

MAI

Vogalonga

www.turismovenezia.it

Un millier d'embarcations à rame prennent le départ devant le palais des Doges pour une boucle passant par Burano et Murano. Les 32 km de course ayant raison des moins endurants, on n'en retrouve pas autant au passage de la ligne d'arrivée, à la Punta della Dogana.

Festa della Sensa

www.sevenonline.it/sensa

Venise aime sa lagune et renouvelle tous les ans depuis 998 son engagement de mariage. Lors du Sposalizio del Mar (Épousailles de la mer), le maire de la ville lance un anneau en or dans les flots.

JUIN

Venezia Suona

www.veneziasuona.it

Places (*campi*) et palais (*palazzi*) du Moyen Âge résonnent des musiques du monde les plus récentes.

La Biennale

www.labiennale.org

La Biennale d'art contemporain se tient les années impaires, généralement de juin à novembre, et la Biennale d'architecture les années paires, à partir de septembre. Danse, théâtre, cinéma et musique d'avant-garde sont programmés tout l'été. Voir p. 17.

JUILLET

Festa del Redentore

www.turismovenezia.it

Le troisième week-end du mois, on traverse le canal de la Giudecca sur un pont de bateaux (instable) pour rejoindre Il Redentore (p. 128). Pique-nique géant le long de la Fondamenta delle Zattere et grand feu d'artifice.

AOÛT

La Mostra

www.labiennale.org/en/cinema

Le Festival du film de Venise a lieu au Lido du dernier week-end d'août à la première semaine de septembre. Tapis rouge, stars et plages à l'arrière-plan.

La Mostra : le rendez-vous des stars

AGENDA

SEPTEMBRE

Festival international de musique contemporaine de Venise

www.labiennale.org

Créé en 1930, ce festival est devenu un must pour l'amateur d'avancées musicales. Stravinsky, blues, flamenco ou musique électronique y sont joués. Les concerts ont lieu la première semaine de septembre à l'Arsenal.

Regata Storica

www.comune.venezia.it

Le jour de cette "régate historique", des participants en costume du XVIe siècle rejouent, lors d'une procession de gondoles et de bateaux anciens, l'arrivée de la reine de Chypre. Femmes, enfants et gondoliers s'affrontent ensuite dans différentes courses.

Regata di Burano

www.comune.venezia.it

C'est la dernière régate de la saison. Les vainqueurs peuvent célébrer une victoire définitive, et les perdants se consoler avec le poisson, la polenta et le vin blanc qui coule à flots.

OCTOBRE

Marathon de Venise

www.venicemarathon.com

Les 6 000 coureurs effectuent 42 km dans un décor de rêve, passant devant les villas palladiennes bordant la Brenta, avant de traverser un pont flottant long de 160 m pour pénétrer dans Venise et rejoindre la place Saint-Marc.

NOVEMBRE

Festa della Madonna della Salute

www.turismovenezia.it

Si vous aviez survécu à la peste et à l'invasion autrichienne, vous aussi auriez envie de faire la fête. Le 21 novembre, les Vénitiens traversent le Grand Canal par un pont flottant pour rejoindre la Chiesa di Santa Maria della Salute (p. 112), remercier la Vierge et se régaler de friandises.

Les rameurs font l'histoire durant la Regata Storica

>ITINÉRAIRES

Sur les places de Venise, tous les chiens ont droit à leur jour de gloire

ITINÉRAIRES

Des ors byzantins aux rouges de la Renaissance, de Vivaldi à la création
vidéo, la promenade dans Venise est une déambulation à travers les siècles.
Imprégné des splendeurs du passé, on est projeté dans l'avenir au gré
des spectacles, des expositions d'art contemporain et du nouvel artisanat.

PREMIER JOUR

Commencez la journée en prison avec le circuit des Itinerari Segreti dans
le palais des Doges (p. 45), puis faites une pause sur la place Saint-Marc.
Après un déjeuner chez Cavatappi (p. 51), vous serez d'attaque pour les
Gallerie dell'Accademia (p. 113). Profitez de l'animation du Campo Santa
Margherita à l'heure de l'apéritif, déjeunez à l'Osteria alla Bifora (p. 123)
et rejoignez la Scuola Grande di San Rocco (p. 86) pour entendre un concert
des Interpreti Veneziani (p. 56) dans l'église baroque de San Vidal. Terminez
la journée en glissant majestueusement à bord d'une gondole ou d'un
vaporetto sur les eaux miroitantes du Grand Canal.

DEUXIÈME JOUR

Après l'émerveillement de la basilique Saint-Marc (p. 41), laissez-vous
impressionner par les œuvres modernes et contemporaines du Palazzo
Grassi (p. 47), puis par les Tintoret et les Canova de Santo Stefano (p. 48).
Traversez le Rialto et goûtez aux derniers *cicheti* imaginés par Francesco et
Matteo à l'All'Arco (p. 91), avant de sacrifier au plaisir d'une glace à la Gelateria
San Stae (p. 105). Faites une apparition en costume d'époque au musée
du Textile, au Palazzo Mocenigo (p. 102), puis enfoncez-vous dans l'ancien
quartier chaud de la ville, près du Ponte delle Tette (p. 85), afin de rejoindre
I Frari (p. 84) et le chef-d'œuvre de Titien. Achevez votre dîner à l'Enoteca
ai Artisti (p. 119) par un expresso, car la soirée se poursuit à La Fenice (p. 57).

TROISIÈME JOUR

Depuis le *vaporetto*, laissez-vous éblouir par la belle et blanche Chiesa
di San Giorgio Maggiore (p. 126). Ne manquez pas les Tintoret à l'intérieur
de l'édifice d'Andrea Palladio, puis revenez sur vos pas et découvrez l'expo
du moment (art contemporain) à la Fondazione Giorgio Cini (p. 127). Reprenez

---

En haut à gauche Gym quotidienne en explorant ponts et passages cachés **En haut à droite** Que de soupirs poussés sur
ce pont (pont des Soupirs, p. 45) **En bas** À Venise et au fil de l'eau : une vue typique, un moyen de transport typique…

le bateau, déjeunez chez I Figli delle Stelle (p. 130), puis rejoignez à pied, Il Redentore (p. 128) et la boutique Fortuny Tessuti Artistici (p. 128). Prenez le *vaporetto* jusqu'à Dorsoduro pour saluer la mémoire de Peggy Guggenheim (p. 113), découvrir la Chiesa di San Sebastiano (p. 109), aux murs couverts d'œuvres de Véronèse, et déguster une glace chez Grom (p. 119). Puis, après avoir admiré le génie du Tintoret dans la Scuola Grande di San Rocco (p. 86), faites du lèche-vitrines jusque chez Al Mercà (p. 96) pour profiter de son *happy hour*. Enfin, allez admirer le coucher du soleil depuis le pont du Rialto (p. 86).

JOUR DE PLUIE

Épargnez-vous les longues files d'attente devant les Gallerie dell'Accademia et la basilique Saint-Marc et allez admirer l'éclatante *Assomption de la Vierge* de Titien à l'intérieur de l'église I Frari (p. 84). Après les toiles tourmentées du Tintoret à la Scuola Grande di San Rocco (p. 86), le temps vous semblera bien clément et vous irez vous réchauffer à l'ImprontaCafé (p. 119) avec une polenta et un verre de *prosecco*. À la Scuola Grande dei Carmini (p. 114), toute proche, ne vous attardez pas devant les nuages gris des œuvres du rez-de-chaussée et prenez l'escalier de Baldassare Longhena pour admirer le plafond peint par Giambattista Tiepolo. Le ciel bleu vous attend dans les trompe-l'œil

Acqua alta (inondations) sur la place Saint-Marc (p. 40)

AVANT LE DÉPART

Trois semaines avant Réservez sur Internet des places pour un opéra à La Fenice (p. 57), les premières de film à la Mostra (p. 29) et les Itinerari Segreti du palais des Doges (p. 45).
Une semaine avant Prenez en ligne votre billet pour la Biennale (p. 29), appelez pour réserver un concert des Interpreti Veneziani (p. 56) et retenez sur http://fr.venezia.waf.it un billet coupe-file pour les Gallerie dell'Accademia (p. 113) – et éventuellement un concert.
La veille Consultez le programme des concerts, expositions et autres manifestations du moment sur les sites www.venezianews.it, www.veneziadavivere.com et www.aguestinvenice. com. Réservez par téléphone la visite du Ghetto et des synagogues (Museo Ebraico di Venezia, p. 74). Faites aussi une réservation de restaurant, et fourrez dans votre valise parapluie, maillot de bain et perruque poudrée. Vous voilà paré.

réalisés par le même Tiepolo dans les salons de la Ca' Rezzonico (p. 109). Concluez par une assiette de pâtes brûlantes à la Ristoteca Oniga (p. 121).

UNE JOURNÉE À LA PLAGE

Un saut en *vaporetto* jusqu'au Lido et vous voilà sur une chaise longue à regarder passer les bateaux et les célébrités. S'il vous faut de l'exercice, louez un vélo chez Lido on Bike (voir l'encadré p. 136) et roulez jusqu'à l'Antico Cimitero Israelitico (p. 134), à 1,5 km au nord ; ou bien pédalez à l'ombre des pins sur les 6 km du front de mer jusqu'à Malamocco (p. 135). Dégustez quelques cocktails au Colony Bar (p. 136), puis installez-vous pour le dîner dans le jardin bien frais de la Trattoria La Favorita (p. 136). Le soir : film à la Mostra (p. 29) ou au Multisala Astra (p. 137), ou bien musique live à l'Aurora Beach Club (p. 137), ou encore soirée DJ à l'Ultima Spiaggia di Pachuka (p. 137).

VENISE PAS CHER

Déambulez parmi les pavillons de la Biennale (p. 59), témoins d'innombrables styles architecturaux, et remontez le canal jusqu'à la basilique Saint-Marc (p. 41) afin d'admirer sans rien débourser d'inestimables mosaïques. Faites un peu de lèche-vitrines pour rejoindre les marchés du Rialto (p. 94), où vous achèterez de quoi pique-niquer sur le quai du Campo San Giacometto. Retraversez le Rialto en direction du Ghetto (p. 19) et des synagogues installées au sommet des bâtiments, avant de gagner l'Osteria agli Ormesini (p. 79), où quelqu'un vous offrira peut-être un verre. L'été, il y a du cinéma, du théâtre et des concerts gratuits en plein air sur le Campo San Polo (p. 97).

>LES QUARTIERS

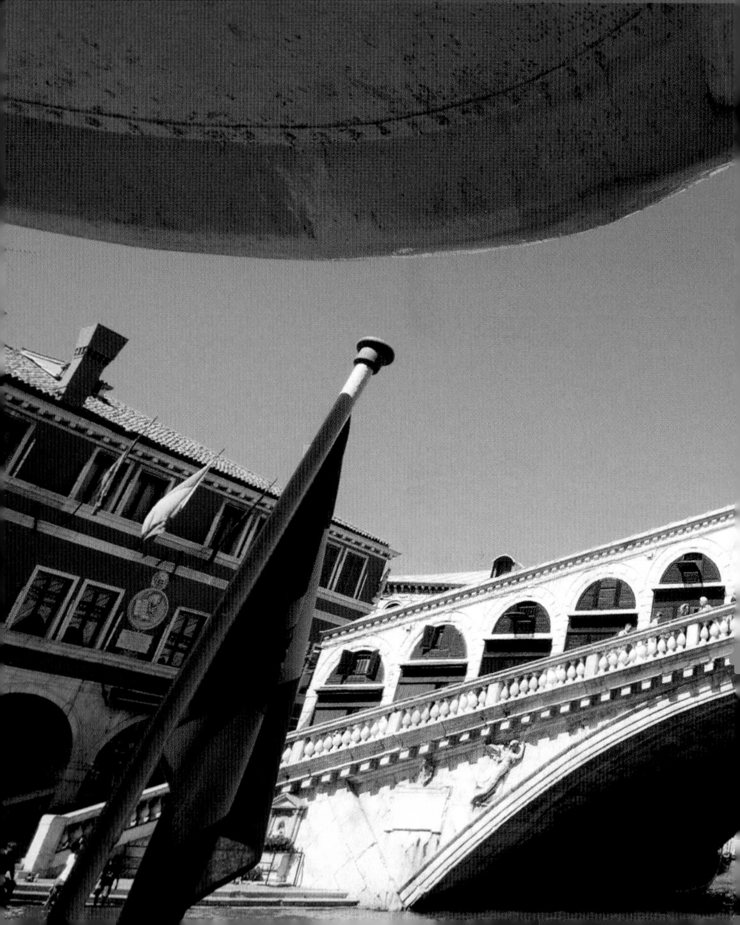

Le Ponte di Rialto (p. 86) : une vraie carte postale

LES QUARTIERS

Pour une cité faite d'îles, Venise est moins insulaire qu'on pourrait l'imaginer. Autrefois, les Vénitiens quittaient rarement leur quartier (*sestiere*), et certains hésitaient même à s'éloigner de l'île où ils vivaient. Et cela est facilement compréhensible : pourquoi partir quand le monde se bouscule à votre porte ?

Quand les Vénitiens prenaient le large, comme Marco Polo, ils rapportaient chez eux des histoires, des idées nouvelles et quantité de richesses de pays aussi lointains que la Mongolie. Ancienne plaque tournante du commerce mondial, Venise a fasciné les poètes, les noceurs, les collectionneurs d'art milliardaires et, plus généralement, tous ceux qui étaient prêts à sacrifier leur confort à l'autel de la beauté.

Certes plus accessible que jadis, Venise cultive néanmoins encore un certain élitisme, comme en témoignent les œuvres et les films présentés à la Biennale et à la Mostra. Pour autant, pas de snobisme : chacun est le bienvenu, tout le monde s'y sent bien, que l'on explore les quartiers périphériques de Cannaregio, Castello, Santa Croce ou de la Giudecca, ou que l'on préfère déambuler au centre, dans San Marco, après le départ des hordes de touristes.

Peu de risque de s'ennuyer : les quartiers sont si divers qu'il suffit de franchir quelques ponts ou de sauter dans un *vaporetto* pour découvrir un nouveau décor. Lassé des splendeurs byzantines, des Bellini et des boutiques de San Marco ? Rendez-vous à Santa Croce, où les façades baroques dissimulent de modestes cafés, où le vin est tiré directement du fût, et où les habitants ne parlent que de bateaux et de Berlusconi. Ou attrapez un *vaporetto* pour explorer Castello et ses espaces verts, si différents de l'ambiance industrielle de la Giudecca. Pour fuir les églises surpeuplées de San Polo, pourquoi ne pas explorer les synagogues de Cannaregio ? Et lorsque les plages du Lido sont envahies par des élégantes coiffées de chapeaux géants, le front de mer des Zattere, à Dorsoduro, est tout aussi ensoleillé. Plus loin encore, la lagune possède de nombreuses îles ignorées des foules.

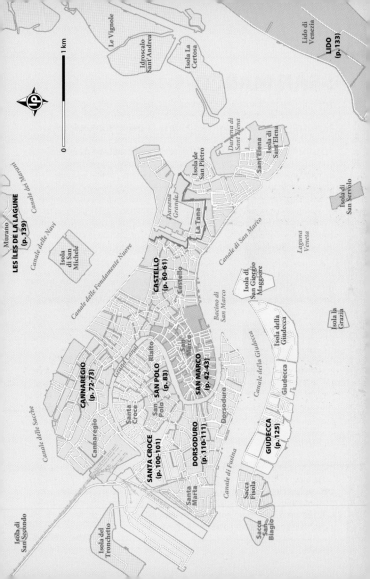

LES ÎLES DE LA LAGUNE
(p. 139)

LIDO
(p. 133)

Lido di Venezia

Isola La Certosa

Le Vignole

Idroscalo Sant'Andrea

Isola di San Michele

Murano

Canale dei Marani

Canale delle Navi

Canale delle Fondamente Nuove

Isola di San Pietro

Darsena Grande

La Tana

Darsena di Sant'Elena

Sant'Elena

Isola di Sant'Elena

Isola di San Servolo

Isola la Grazia

Laguna Veneta

Canale di San Marco

CASTELLO
(p. 60-61)

Castello

Bacino di San Marco

Isola di San Giorgio Maggiore

CANNAREGIO
(p. 72-73)

Grand Canal

Rialto

SAN POLO
(p. 83)

San Polo

Santa Croce

SANTA CROCE
(p. 100-101)

Cannaregio

Canale delle Sacche

Canale di Fusina

DORSODURO
(p. 110-111)

Dorsoduro

SAN MARCO
(p. 42-43)

Rialto

Canale della Giudecca

Isola della Giudecca

Giudecca

GIUDECCA
(p. 125)

Sacca Fisola

Sacca San Biagio

Santa Marta

Isola del Tronchetto

Isola di San Secondo

0   1 km

>SAN MARCO

San Marco rassemble un tel nombre de sites mondialement connus que certains visiteurs y passent tout leur temps, tandis que d'autres l'évitent, fuyant l'affluence et les restaurants douteux. Le quartier n'est cependant pas seulement un piège à touristes : au coucher du soleil, la place Saint-Marc désertée est splendide, et les rues environnantes dissimulent d'authentiques *osterie* (bars-restaurants), où l'on peut manger et boire un verre avec les habitants de la ville. Au simple motif de ne pas faire comme les autres, il serait dommage de manquer La Fenice, la basilique Saint-Marc, le Palazzo Grassi et le palais des Doges. Vous ne tarderez d'ailleurs pas à comprendre ce qui vaut à ces monuments leur prestige international… Partez ensuite à la découverte des innombrables galeries d'art contemporain, des belles boutiques et des *bacari* (bars) branchés du quartier : loin de s'endormir sur ses lauriers, San Marco continue de créer l'événement.

SAN MARCO

Voir la carte p. 42-43

👁 VOIR

👁 BASILIQUE SAINT-MARC

☎ 041 5225205 ; www.basilicasanmarco.it ; Piazza San Marco ; basilique gratuite, Pala d'Oro/Loggia dei Cavalli et musée/trésor 2/4/3 € ; 🕙 9h45-17h lun-sam, 14h-16h dim nov-mars, 14h-17h dim avr-oct ; 🚤 San Marco, San Zaccaria, Vallaresso

Les apôtres au regard étincelant et les anges ornant les dômes d'or de la basilique font l'admiration des touristes les plus blasés : imaginez la réaction de ceux qui la découvraient au Moyen Âge ! Les demeures vénitiennes étaient basses, en bois et peu éclairées. Les pigments de couleur étaient un luxueux produit d'importation. L'imposante structure de pierre, illuminée par les reflets de millions de minuscules tesselles faites d'or et de pierres semi-précieuses, tranchait donc avec l'architecture dominante.

La basilique, chapelle officielle des doges (qui régnaient sur Venise), servait de vitrine aux trésors volés, comme les chevaux de bronze doré de Constantinople qui se dressaient à l'entrée centrale (Napoléon s'en empara plus tard). Aujourd'hui, ceux qui ornent le portail de la Loggia dei Cavalli sont des copies, mais on peut admirer les originaux à l'intérieur. Rome prit ombrage de l'arrogance de Venise, qui n'hésitait pas à prendre Dieu à témoin de sa gloire, ce qui

Vue plongeante sur la place Saint-Marc depuis la Loggia dei Cavalli (basilique Saint-Marc)

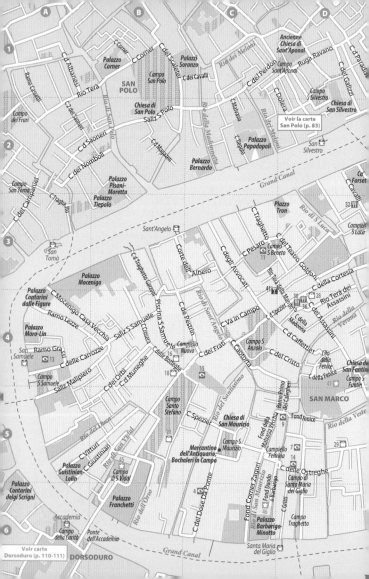

n'empêcha pas la ville d'achever la basilique à son goût : le style marie coupoles orientales, plan en croix grecque, arcs gothiques et sols en marbre d'Égypte disposés en fascinants motifs. Le circuit balisé qui parcourt l'église est gratuit et dure environ 15 minutes, mais l'intérieur est d'une telle beauté qu'il est conseillé de prévoir un second passage. La Loggia dei Cavalli offre une vue magnifique sur la place Saint-Marc. Les calices en albâtre et les icônes conservés dans le trésor ne valent pas les somptueuses miniatures en émail du retable de la Pala d'Oro, incrusté de joyaux. Avant d'entrer dans la basilique, pensez à vous vêtir avec retenue (genoux et épaules couverts). Les grands sacs doivent être déposés à l'**Ateneo di San Basso** (9h30-17h30), juste à côté. Voir aussi p. 10.

CAMPANILE

☎ 041 5225205 ; www.basilicasanmarco. it ; Piazza San Marco ; entrée 8 € ; 9h-19h avr-juin et oct, 9h-21h juil-sept, 9h30-15h45 nov-mars ; San Marco, Vallaresso

Trapue, disgracieuse… au cours des siècles, les critiques n'ont pas eu de mots assez durs contre ce clocher de brique de 99 m de hauteur. Mais, lorsque la tour, édifiée en 888 et reconstruite en 1514, s'effondra à la surprise de tous en 1902, les dirigeants vénitiens la firent reconstruire à l'identique. L'affection

qu'inspirait l'ancien phare de la ville devenu son emblème l'emporta sur les objections de ses détracteurs. Et personne n'oserait nier que la vue du sommet est à couper le souffle…

CATERINA TOGNON ARTE CONTEMPORANEA

☎ 041 5207859 ; www.caterinatognon. com ; Palazzo da Ponte, Calle delle Dose 2746 ; gratuit ; 15h-19h dim-sam ; Santa Maria del Giglio

Appuyez sur la sonnette "stART" de ce palais du XVIIe siècle, entrez dans la galerie installée au deuxième étage, et vous vous retrouverez propulsé à la pointe de l'art contemporain. Les artistes exposés, comme Kiki Smith ou Richard Marquis, travaillent sur des thèmes et des matériaux vénitiens.

TORRE DELL'OROLOGIO

☎ 041 5209070 ; www. museicivicivenziani.it ; Piazza San Marco ; adulte/détenteurs Venise Card ou San Marco Museum Pass 12/7 € ; visites (en français) 14h et 15h lun-mer, 10h et 11h jeu-dim ; San Marco, Vallaresso

À en croire la légende, on assassina les concepteurs de cette horloge astronomique afin qu'aucune autre ville ne se dote d'un tel chef-d'œuvre d'ingénierie. Le monument rénové est aujourd'hui ouvert aux visiteurs, qui admirent depuis la terrasse les statues des deux Maures dominant la place Saint-Marc.

L'escalier en colimaçon qui mène au sommet est raide et étroit (les claustrophobes s'abstiendront), mais la vue est magnifique. Depuis la place, on peut voir trois rois et un ange sortir de l'horloge le jour de l'Épiphanie (6 janvier) et de l'Ascension (deuxième dimanche de mai).

◉ PALAIS DES DOGES

☎ **041 2715911 ; www. museiciviciveneziani.it ; Piazza San Marco 1 ; adulte/étudiant avec le Museo Correr et un des Musei civici veneziani 13/7,50 € ;** 🕐 **9h-19h avr-oct, 9h-18h nov-mars ;** 🚶 **San Marco, Vallaresso** Toute la splendeur et les intrigues politiques de la république de Venise hantent ce monument emblématique de la Sérénissime. Vous saurez tout grâce aux très passionnants **Itinerari Segreti** (Itinéraires secrets ; visite guidée en français comprenant l'entrée au palais des Doges adulte/étudiant 16/10 € ; 🕐 10h20 et 12h).

Entrez par la cour aux colonnes gothiques et gravissez la Scala dei Censori (escalier des Censeurs) et la Scala d'Oro (escalier d'Or) de Sansovino. Vous débouchez dans des salles dont les murs sont décorés de magnifiques exemples de propagande : le Tintoret y a peint les vertus de Venise, Giambattista Tiepolo y a réalisé *Venise recevant de Neptune les présents de la mer,* et Véronèse

représenta sur les plafonds de la salle du Conseil, conçue par Andrea Palladio, le gouvernement de la république sous un jour très flatteur. La salle du Consiglieri dei Dieci (Conseil des Dix), services secrets tant redoutés des Vénitiens, a conservé la fente où étaient glissées les dénonciations, et le portrait par Véronèse de *Junon couvrant Venise de présents*. Derrière le trône du Doge, dans l'immense salle du Grand Conseil (inaugurée en 1419), le fils du Tintoret, Domenico, plaça dans son *Paradis* les portraits de 500 personnalités vénitiennes (et clients de son père). L'étage inférieur abrite des images cauchemardesques de Jérôme Bosch, maître des visions apocalyptiques. Le pont des Soupirs (Ponte dei Sospiri) mène aux cellules humides des Prigione Nuove (nouvelles prisons), couvertes de graffitis et de déclarations d'innocence. On émerge, ébloui, dans la cour aux reflets roses, ornée d'arches gothiques dentelées du XVe siècle. Voir aussi p. 25.

◉ GALLERIA TRAGHETTO

☎ **041 5221188 ; www. galleriatraghetto.it ; Campo Santa Maria del Giglio 2543 ; gratuit ;** 🕐 **15h-19h lun-sam ;** 🚶 **Santa Maria del Giglio** Cette galerie expose de jeunes artistes italiens et internationaux qui seront probablement les stars de demain. Installé à Rome, Serafino Maiorano y présente ses photographies numériques artistiquement floues, dont les rouges sang rappellent Vittore Carpaccio. Quant au peintre lituanien Andrius Zakarauskas, il illustre l'Histoire par des saluts et des doigts pointés composant une gestuelle pleine d'ironie.

JARACH GALLERY
☎ 041 5221938 ; www.jarachgallery. com ; Campo San Fantin 1997 ; gratuit ; 🕙 10h-14h, 15h-19h30 mar-dim ; 🚇 Santa Maria del Giglio

Si La Fenice est la star incontestable de la place, cette galerie consacrée à la photographie contemporaine vaut aussi le détour. Simone Bergantini y a récemment exposé une inquiétante série de photos représentant des robes abandonnées et des sacs-poubelle, aux ombres dignes d'un film noir. La galerie est située dans un passage (*sotoportego*) ombragé.

LA GALLERIA VAN DER KOELEN
☎ 041 5207415 ; www.galerie. vanderkoelen.de ; Ramo Primo dei Caleghieri 2566 ; gratuit ; 🕙 10h-12h30 et 15h30-18h30 lun-sam ; 🚇 Santa Maria del Giglio

Discrètement installée derrière le prestigieux édifice de La Fenice, cette galerie est l'instigatrice

d'un renouveau esthétique. Dernièrement, Günther Uecker y a exposé ses travaux sur papier ainsi que ses œuvres plus connues réalisées avec des clous.

MUSEO CORRER
☎ 041 2405211 ; www. museicivicivenezia.it ; Piazza San Marco 52 ; adulte/étudiant avec palais des Doges et un des Musei civici veneziani 13/7,50 € ; 🕙 9h-19h avr-oct, 10h-17h nov-mars ; le guichet ferme une heure avant le musée ; 🚇 San Marco, Vallaresso

On peut moquer son bicorne, mais Napoléon était aussi à son aise sur un champ de bataille que devant un plan d'aménagement. Témoin, l'église située à l'extrémité ouest de la place Saint-Marc : rasée sans aucune forme de procès, elle fit place à une somptueuse salle de bal. Aujourd'hui, le Museo Correr occupe les 1er et 2e étages de la galerie à arcades dominant la place. Outre les statues gréco-romaines et de magnifiques peintures médiévales, le musée abrite l'un des chefs-d'œuvre de Venise : une bibliothèque du XVIe siècle, la Libreria Nazionale Marciana, ornée d'allégories de la sagesse par Véronèse et Titien. Au Caffè dell'Arte, sous le regard des griffons et autres monstres baroques, vous dégusterez un verre de merlot vénitien (4 €) en admirant la place Saint-Marc.

🅒 MUSEO FORTUNY

☎ 041 5200995 ; www.
museicivicivemeziani.it ; Campo
San Beneto 3958 ; adulte/étudiant
ou détenteurs San Marco Museum
Pass 9/6 € ; 🕑 10h-18h mer-lun ;
🛕 Sant'Angelo

Excentrique et résolument
d'avant-garde, le styliste espagnol
Mariano Fortuny y Madrazo
(1871-1949) préférait aux corsets
victoriens les formes souples
des toges grecques. Son salon
gothique fut fréquenté par
de nombreux artistes, notamment
par la danseuse Isadora Duncan.
Si les expositions temporaires
sont plus ou moins intéressantes,
la collection permanente comprend
des chandeliers d'inspiration
maure, des salles somptueusement
tapissées des soies imprimées
du créateur, des modèles originaux
des robes Delphos, et des portraits
de femme de l'époque victorienne.

🅒 PALAZZO CONTARINI
DEL BOVOLO

☎ 041 5322920 ; Calle Contarini
del Bovolo 4299 ; cour gratuite ;
🕑 10h-18h ; 🛕 Rialto

Ce palais du XVe siècle doit son nom
à son escalier extérieur en colimaçon
(bovolo). Il est actuellement fermé
pour restauration, mais, depuis la
cour, on peut admirer ce splendide
joyau de l'architecture Renaissance,
tout en brique et en arches blanches.

🅒 PALAZZO GRASSI

☎ 199 139139 ; www.palazzograssi.it ;
Campo San Samuele 3231 ; adulte/étudiant
et senior 15/10 €, avec entrée Punta della
Dogana 20/14 € ; 🕑 10h-19h mer-lun ;
🛕 San Samuele

Le Palazzo Grassi réconcilie la
Venise d'hier et celle de demain.
Ce palais néoclassique construit
par Giorgio Masari en 1749 et
rénové par l'architecte minimaliste
Tadao Ando abrite l'exceptionnelle
collection d'art contemporain de
François Pinault. Parmi les œuvres
phares : les marguerites souriantes
de Takashi Murakami, les images
de BD aux légendes poétiques de
Raymond Pettibon et les aphorismes
de Barbara Kruger. Les sculptures
exposées sur les pontons du palais
côté Grand Canal surprennent les
passagers des gondoles. N'hésitez
pas à faire une halte au café dans un
décor artistique souvent renouvelé.

🅒 SANTA MARIA DEL GIGLIO

Campo di Santa Maria Zobenigo 2543 ;
entrée 3 €, gratuit avec le forfait Chorus ;
🕑 10h-17h lun-sam ; 🛕 Santa Maria
del Giglio

Sous l'apparence d'une petite église
de quartier de style baroque, Santa
Maria del Giglio est un véritable
bijou. L'intérieur révèle en effet
un plan byzantin du Xe siècle et
les œuvres de trois maîtres. Derrière
l'autel se dresse la *Madone à l'Enfant*,
de Véronèse. Les *Quatre évangélistes*

du Tintoret jouxtent l'orgue. Le plafond de La chapelle Molin est dû à Domenico Tintoretto, fils du Tintoret. Il est éclipsé par une exquise petite toile, *Marie, Jésus et saint Jean* par Peter Paul Rubens.

⊙ SANTO STEFANO

Campo Santo Stefano 3825 ; église gratuit, musée 3 €, gratuit avec le forfait Chorus ; ⏱ 10h-17h lun-sam ; 🏛 Accademia
Les plafonds en bois des plus grandes églises de Venise provenaient des chantiers navals, comme en témoigne la quille de navire (*carena di nave*) de cette église, qui évoque un magnifique navire retourné. La salle latérale possède deux toiles du Tintoret : *La Cène*, où un petit chien mendie un quignon de pain, et l'obscur *Lavement des pieds*. Dans le cloître, la stèle funéraire de Giorgio Falier a été sculptée en 1808 par Antonio Canova ; elle figure des femmes endeuillées enveloppées dans des voiles. Les yeux tournés vers le ciel du saint de Tullio Lombardo (1505) sont d'une telle clarté que Titien s'en inspira pour sa Madone d'I Frari (p. 84).

🛍 SHOPPING

🏠 ARCOBALENO
Fournitures d'art
☎ 041 5236818 ; Calle delle Botteghe 3457 ; ⏱ 9h30-13h30 et 15h-19h lun-sam ; 🏛 Accademia

Les innombrables chefs-d'œuvre des peintres vous inspirent ? Arcobaleno, dont les étagères débordent de pots de pigments essentiels (rouge Titien, bleu ciel Tiepolo, rose Véronèse ou turquoise Tintoret), possède tout le matériel nécessaire aux peintres en herbe.

🏠 ARNOLDO & BATTOIS *Sacs à main, accessoires*
☎ 041 5285944 ; www.arnoldoebattois. com ; Calle dei Fuseri 4271 ; ⏱ 10h-13h et 15h30-19h lun-jeu et sam ; 🏛 Sant'Angelo
Massimiliano Battois et Silvano Arnoldo font de véritables objets de collection de leurs sacs à main aux cuirs de couleurs vives chinés aux puces vénitiennes. Ceux-ci sont très appréciés par la foule bohème qui fréquente la Biennale. Quant aux ceintures années 1980 aux boucles salamandre, elles font un come-back flamboyant.

🏠 EBRÛ *Arts du papier*
☎ 041 5238830 ; www.albertovalese-ebru.it ; ⏱ 10h-13h et 15h30-19h lun-jeu et sam ; 🏛 Accademia
Il y a quatre siècles, les reliuers vénitiens adoptèrent l'art turc de l'*ebrû*, technique utilisée pour la fabrication des gardes marbrées. Mais les créations d'Alberto Valese vont bien au-delà de ces dernières. Les volutes de ses cravates de soie teintes pourraient bien hypnotiser

Les curieux mannequins de la Fiorella Gallery

vos collègues de bureau et ses masques de papier mâché au décor psychédélique vous rappeler le carnaval. Vous avez envie de créer votre propre album photos ? Renseignez-vous sur les cours de fabrication du papier marbré.

☐ EPICENTRO
Cadeaux, décoration
☎ 041 5226864 ; Calle dei Fabbri 932 ; ⏱ 9h30-13h30 et 15h-19h mar-sam ; 15h-19h lun ; 🚉 Vallaresso
Comment ne pas craquer pour l'indispensable saucière à soja d'Alessi, en forme de colibri ? Epicentro rassemble une vaste sélection d'irrésistibles objets design, ainsi qu'un choix exhaustif

de créations Alessi, du sucrier en forme de singe au troll pour accrocher sa brosse à dents. Un ravissant bric-à-brac dans une charmante petite boutique.

☐ ESPERIENZE *Verre, bijoux*
☎ 041 5212945 ; www. esperienzevenezia.com ; Calle degli Specchieri 473b ; ⏱ 10h-12h et 15h-19h ; 🚉 San Zaccharia
Quand le design minimaliste italien tombe amoureux du soufflage de verre, leur union donne lieu à la création de bijoux inspirés. *Esperienze* est tenu par un couple de Murano animé d'une même passion pour Kandinsky, Miró et autres maîtres de la collection Guggenheim. Chaque pièce, pendentif ou boucle d'oreille en verre de Murano, paraît dotée d'un véritable souffle de vie.

☐ FIORELLA GALLERY *Mode*
☎ 335 8200873 ; www.fiorellagallery. com ; Campo Santo Stefano 2806 ; ⏱ 15h-19h lun, 9h30-13h30 et 15h30-19h mar-sam ; 🚉 Accademia
Juchés sur des talons hauts, des mannequins de doges arborant des modèles vénitiens subversifs ne manqueront pas de réveiller la rock star qui sommeille en vous. Les vestes d'intérieur en velours de soie, aux teintes oscillant entre lavande et rouge sang, sont imprimées à la main

de motifs baroques et portent la griffe de Fiorella : des rats aux yeux écarquillés. Les modèles sont coûteux (plusieurs centaines d'euros) mais spectaculaires – ne manquez pas le miroir Ettore Sottsass couvert de graffitis.

📷 GLORIA ASTOLFO *Bijoux*
☎ 041 5206827 ; Calle Frezzeria 1581 ;
🕓 9h30-13h30 et 15h-19h lun-sam ;
🚇 Vallaresso

Boucles d'oreille tout droit sorties d'une toile vénitienne, colliers en cascades dignes du décor baroque de La Fenice… Ces bijoux en perles confectionnés à la main sont vendus à des prix plus que raisonnables (à partir de 35 €)…

📷 LA PIETRA FILOSOFALE
Masques
☎ 041 5285885 ; Calle Frezzeria 1735 ;
🕓 10h-12h30 et 15h-19h mar-sam ;
🚇 Vallaresso

Les stars de l'opéra qui chantent à La Fenice savent que c'est ici qu'il faut se rendre pour un masque de scène ou de carnaval. On y façonne le cuir à la main pour en tirer des sourires machiavéliques ou parfaitement innocents. Les masques de papier mâché sont quant à eux décorés d'un coup de crayon expressif et de motifs à l'encre qui rappellent les œuvres de Klimt exposées à la Ca' Pesaro.

📷 LE BOTTEGHE
Cadeaux, commerce équitable
☎ 041 5227545 ; Ponte di Rialto 5164 ;
🕓 10h-19h lun-sam ; 🚇 Rialto

Cette boutique de commerce équitable située dans les marchés du Rialto concilie design italien et altermondialisme. Produits par une coopérative bangladaise, les jolis chapeaux de paille pliables dans des teintes safran et fuchsia sont idéaux pour une promenade en gondole. Quant aux sarongs à motifs africains, ils invitent à se détendre sur les plages du Lido.

📷 LIBRERIA STUDIUM *Livres*
☎ 041 5222382 ; Calle Canonica 337 ;
🕓 9h-19h30 lun-sam, 9h30-13h30 dim ;
🚇 San Zaccaria

Cette librairie, dont chaque pan de mur est recouvert de livres, possède une vaste sélection d'ouvrages en langues étrangères. Les livres sur la cuisine italienne sont aussi magnifiques qu'appétissants. On y trouve aussi des documents érudits. Les vendeurs bibliophiles trouvent sans hésitation les titres les plus rares.

📷 MILLEVINI *Vin*
☎ 041 5206090 ;
Ramo del Fontego dei Turchi 5362 ;
🕓 9h-13h30 et 15h30-19h lun-sam ;
🚇 Rialto

Cette enseigne représentant des petits producteurs et

vignobles vénitiens est un îlot d'élégance entre les stands de T-shirts et les cafés clinquants du Rialto. Le personnel compétent vous aidera à faire votre choix et vous informera des prochaines dégustations.

🏠 MONDADORI *Livres, musique*

☎ 041 5222193 ; www.
libreriamondadorivenezia.it ; Salizada San Moisè 1345 ; ⏱ 10h-19h30 lun-sam, 11h-19h30 dim ; 🚊 Vallaresso
On y vient pour les livres, et on y reste pour l'architecture, les boissons et la conversation. Difficile de résister à la sélection de CD, magazines, DVD et romans de cette chaîne italienne. Même les plus pressés auront du mal à s'arracher à cet ancien cinéma, où est également installé le bar Bacaro (p. 54). Des soirées littéraires et des expositions de photographes locaux y sont organisées.

🏠 OTTICA CARRARO *Lunettes*

☎ 041 5204258 ; www.otticacarraro.it ;
Calle della Mandola 3706 ; ⏱ 9h-13h et 15h30-19h lun-sam ; 🚊 Sant'Angelo
Si vous avez perdu vos lunettes de soleil au Lido, Ottico Carraro vous réalise une paire sur mesure en 24 heures. Le choix est varié, des modèles criards des années 1980 aux montures en caoutchouc mat genre bonbons.

🏠 VENETIA STUDIUM

Mode, décoration

☎ 041 5236953 ; www.venetiastudium.
com ; Palazzo Zuccato, Via Larga XXII Marzo 2425 ; ⏱ 10h-19h lun-sam ; 🚊 Santa Maria del Giglio
Les accessoires indispensables des adeptes du chic bohème : des robes-tuniques théâtrales prisées par Peggy Guggenheim aux sacs en velours de soie imprimés à la main (à partir de 50 €), sobres et élégants.

🍴 SE RESTAURER

🍴 CAFFE MANDOLA

Sandwichs €

☎ 041 5237624 ; Calle della Mandola 3630 ;
⏱ 9h-19h lun-sam ; 🚊 Vallaresso
La *focaccia* juste sortie du four est la spécialité de la maison. Elle est fourrée d'ingrédients savoureux et originaux : thon et câpres, fine tranche de *bresaola* (bœuf séché), roquette et *grana padano*, un fromage relevé. En dehors des heures d'affluence, soit au moment du déjeuner et du *happy hour*, on peut déguster son sandwich dehors, sur des tabourets.

🍴 CAVATAPPI

Cuisine vénitienne, sandwichs €

☎ 041 2960252 ; Campo della
Guerra 525-526 ; ⏱ 10h-20h mar-jeu et dim, 10h-11h ven et sam ; 🚊 San Zaccaria

Giovanni d'Este
Sommelier et télépathe à l'heure de l'apéritif
à l'Osteria I Rusteghi (p. 55)

Munissez-vous d'une boussole Les véritables *osterie* [bars-restaurants] vénitiennes sont toujours bien cachées. **Prévoir votre commande** Les Français apprécient les crus délicats comme le *ripasso*, un vin du Valpolicella. Les Américains, eux, préfèrent les rouges complexes, comme l'*amarone*. Et tout le monde aime le *soave* et le *prosecco*. **Les vins vénitiens sont étonnants** Le cabernet franc Pramaggiore est comme une belle femme voluptueuse qui ne passe pas inaperçue… Le *refosco* est un vin ancien… Il coule dans nos veines. Notre merlot est d'une extrême élégance : il a du corps, de l'acidité et de la robustesse. À côté, les autres merlots ont l'air juvénile. **Tout sauf…** Du *spumante* sec au dessert, quelle horreur ! Le sucre couvre son goût subtil. Le *fragolino* [vin parfumé à la fraise] fait l'affaire, mais les Vénitiens ne trempent pas de biscuit dedans. Le *sgroppino* [sorbet citron au prosecco et à la vodka] est idéal entre deux plats.

Tout près de la place Saint-Marc mais à mille lieues du kitsch et des restaurants pour touristes. On y sert des plats de saison, un excellent choix de vins au verre et, rareté dans le quartier, de savoureux repas pour moins de 15 €. Il suffit de commander les pâtes ou le risotto du jour, un vin et le fromage de brebis arrosé de miel pour le dessert.

🍴 GELATOTECA SUSO *Glaces* €
Calle della Bissa 5453 ; 🕐 10h-21h ; 🚇 Rialto
Depuis le jour où les paparazzis ont photographié les bambins de Brad Pitt et Angelina Jolie en train de déguster des cornets de glace italienne au bord d'un canal vénitien, les boutiques promettant des *gelati artigianali* ont proliféré dans Venise. Mais celles que propose ce nouvel établissement discret sont bien faites maison. Une glace deux-boules vous coûtera 2,50 €. Ne ratez pas la *frutti di bosco* (fruits des bois).

🍴 ENOTECA AL VOLTO
Cicheti, cuisine vénitienne €€
☎ 041 5228945 ; Calle Cavalli 4081 ; 🕐 10h-14h et 17h-21h ven-mer ; 🚇 Rialto
Un immense choix de vins et de *cicheti* (tapas vénitiennes) est servi au bar, très fréquenté. Mais vous préférerez peut-être venir tôt et

Ambiance cosy à l'Enoteca Al Volto

prendre une table dans la salle du fond, confortablement assis sous les poutres. Les portions de pâtes aux palourdes et au vin blanc rassasieraient n'importe quel sportif ; les steaks épais sont servis dans une mare de sauce et accompagnées d'un verre d'*amarone*.

🍴 OSTERIA DA CARLA
Cicheti, cuisine vénitienne €€
☎ 041 5237855 ; Frezzeria 1535 ; 🕐 10h-21h lun-sam ; 🚇 Vallaresso
Tandis que les non-initiés s'installent pour manger des pizzas de la veille près de la place Saint-Marc, les connaisseurs au budget limité se retrouvent dans cette cour

pour y déguster des pâtes, du vin au verre et du pain croustillant généreusement garni de *baccalà mantecato* (crème de morue) ou de *sopressa* (salami doux), le tout à prix doux. Le soir, la cuisine innove, avec par exemple des viandes grillées aromatisées de fruits réduits.

🍴 SANGAL
Nouvelle cuisine vénitienne €€€
☎ 041 3192747 ; www. sangalvenicerestaurant.com ; Campo San Gallo 1089 ; 🕑 11h30-15h et 19h-23h ; 🚊 Vallaresso

Profitez du coucher du soleil devant un rosé pétillant de Vénétie sur la terrasse ou installez-vous sur une banquette pour admirer la place. Vous pourrez choisir ensuite parmi les nombreuses gourmandises vénitiennes proposées ici : carpaccio de thon au sésame et aux herbes, succulent lapin fourré aux saucisses maison ou une *panna cotta* au lait de coco enrobée de sucre argenté. Comptez au moins 75 € pour cette expérience de cuisine fusion à nulle autre pareille. Les œnophiles se renseigneront sur les cours de dégustation de vin organisés par la maison.

🍴 VINI DA ARTURO *Viande* €€€
☎ 041 5286974 ; Calle degli Assassini 3656 ; 🕑 19h-23h lun-sam ; 🚊 Sant'Angelo

Ignorez la carte des pâtes : les fidèles de ce restaurant – comptant

seulement huit tables – ne viennent que pour les steaks. Relevées de poivre vert, marinées au cognac et à la moutarde ou encore servies saignantes sur l'os, les tranches épaisses sont très très tendres. Même Hollywood n'y résiste pas : on vous racontera, preuve à l'appui, la visite de Nicole Kidman ou du réalisateur Joel Silver qui s'échappa du tournage de *Matrix* pour dîner ici.

🍸 PRENDRE UN VERRE

🍸 B BAR *Lounge*
☎ 041 2406819 ; www.bauervenezia. com ; Campo San Moisè 1459 ; 🕑 18h-1h mer-dim ; 🚊 San Marco, Vallaresso

Jouez les stars, confortablement lové dans une banquette du B Bar, serti de mosaïques d'or. Les cocktails sont servis avec des amuse-bouches, et le pianiste se fait discret. Une carte entière est consacrée aux variations sur le thème du *spritz* (un cocktail à base de *prosecco*, d'eau gazeuse et de bitter), un classique vénitien. Le Rialto est par exemple un mélange doux-amer de *prosecco*, de gin et de grenadine.

🍸 BACARO *Lounge*
☎ 041 2960687 ; Salizada San Moisè 1348 ; 🕑 9h-2h ; 🚊 San Marco, Vallaresso

Bacaro est aussi beau que bien fréquenté : la mosaïque du bar ovale est du meilleur effet, et la clientèle ne manque pas de conversation, en particulier lorsque le public afflue après les soirées littéraires organisées par la librairie Mondadori, juste à côté (p. 51).

☕ HARRY'S BAR *Lounge*
☎ 041 5285777 ; Calle Vallaresso 1323 ; 🕐 12h-23h ; 🚶 San Marco, Vallaresso

Le Harry's a vu passer tous les grands talents américains du XXe siècle : Charlie Chaplin, Ernest Hemingway, Truman Capote et Orson Welles, notamment. Aussi ce bar a la réputation de mettre du génie dans ses cocktails… Oui, le Bellini, cocktail à la pêche et au *prosecco*, inventé ici même et facturé 18 €, doit bien son nom au peintre vénitien spécialiste des madones au teint velouté. Quant à la carte, vu les prix affichés, on pourrait s'attendre à un risotto doré à l'or fin. Mais c'est surtout la simplicité du lieu qui surprend, avec ses chaises de bistrot, ses petites tables serrées et son service sans chichis. Le Harry's Bar est devenu un empire avec des succursales à Londres et à Hong-Kong, ainsi qu'une gamme de pâtes vendues sous la marque Cipriani mais… rien ne vaut l'original !

☕ I RUSTEGHI *Bar à vin* €€
☎ 041 5232205 ; Corte del Tentor 5513 ; 🕐 10h30-15h et 18h-21h lun-ven ; 🚶 Rialto

Avec Giovanni d'Este (p. 52), propriétaire et sommelier d'I Rusteghi, tenu par sa famille depuis quatre générations, une tournée des bars se transforme en pèlerinage de gourmet. Il vous ouvrira des crus exceptionnels à déguster au verre avec des fromages artisanaux, du saucisson de sanglier et du *lardo di Colonnata* (gras de porc salé et aromatisé). Demandez à Giovanni de choisir votre vin ; il vous considérera longuement pour déterminer votre caractère avant de vous présenter sa sélection – un *refosco*, généreux, ou un *vermentino*, lumineux, sont à prendre comme de vrais compliments.

☕ TEAMO *Salon de thé, bar*
☎ 347 3665016 ; Rio Terà della Mandola 3795 ; 🕐 9h-22h ; 🚶 Sant'Angelo

Une fois le soleil couché, les branchés de la place Saint-Marc se volatilisent… pour réapparaître quelques instants plus tard au Teamo, irrésistiblement attirés par les *cicheti* étalés sur le bar d'albâtre éclairé de l'intérieur, le verre de *friulano* à 3,50 € et une foule branchée gay friendly.

☕ TORINO@NOTTE *Bar*
☎ 041 5223914 ; Campo San Luca 4592 ; 🕐 20h-1h mar-sam ; 🚶 Rialto

Éclectique et bruyant, ce bar apporte un brin de fantaisie à la vie nocturne de ce quartier si rangé. Chaque soir, des verres (2 à 4 €)

sont servis sur fond de concerts improvisés d'étudiants ou de tubes reggae choisis par un copain du barman.

SORTIR

⭐ CAFFÈ FLORIAN *Concerts*
☎ 041 5205641 ; Piazza San Marco 56-59 ; 🕙 10h-23h mar-jeu ; 🚊 San Marco, Vallaresso

L'orchestre du Caffè Florian fait partie intégrante de la vie à Venise. Fidèle à des rituels institués en 1720 – serveurs d'une politesse mielleuse, chocolat chaud onctueux servis sur son plateau d'argent, amoureux blottis sur les confortables banquettes au petit-déjeuner –, le Florian a adopté un répertoire des années 1950 mêlant jazz et musique latino. Avec un chocolat à 10 € (6 € de supplément en terrasse), mieux vaut attendre le meilleur moment : au coucher du soleil, la lumière embrase les mosaïques de la basilique Saint-Marc. À noter que prendre un verre de bon vin accompagné d'olives et de chips coûte moins cher qu'un cappuccino.

⭐ CENTRALE *Concerts, DJ*
☎ 041 2960664 ; www.centrale-lounge.com ; Piscina Frezzeria 1659b ; 🕙 18h30-2h lun-sam ; 🚊 San Marco, Vallaresso

Si le service de gardes du corps, proposé en option, est un tantinet excessif, il illustre l'ambiance

nocturne et discrètement branchée du Centrale, lieu de rendez-vous de la jet-set à Venise. Entre les murs de brique nue, les chandeliers de Murano éclairent parfois Juliette Binoche, Spike Lee, Christina Aguilera et des magnats italiens. Les prix sont élevés, mais les noctambules apprécient les boissons, les en-cas à toute heure, les DJ et les concerts occasionnels.

⭐ INTERPRETI VENEZIANI *Musique classique*
☎ 041 2770561 ; www.interpretiveneziani.com ; Chiesa San Vidal, Campo San Vidal 2862b ; adulte/étudiant et senior 25/20 € ; 🕙 à partir de 20h30 ; 🚊 Accademia

En sortant d'un concert des Interpreti Veneziani, jamais plus vous n'écouterez *Les Quatre Saisons* sans entendre un orage d'été se préparer sur la lagune et les échos de pas mystérieux sur les ponts de la ville une nuit d'hiver. Ces solistes, dont trois appartiennent à la talentueuse famille Amadio (p. 129), tirent d'étonnantes vibrations de leurs instruments du XVIIIe siècle et ravissent la vedette au remarquable autel réalisé par Carpaccio pour San Vidal.

⭐ MUSICA A PALAZZO *Opéra*
☎ 0340 9717272 ; www.musicapalazzo.com ; Palazzo Barbarigo-Minotto, Fondamenta Duodo o Barbarigo 2504 ;

La terrasse du Caffè Florian : le lieu où il faut être…

billet 50 € ; ⏰ **ouverture des portes à 20h ;** 🏛 **Santa Maria del Giglio**

Dans un cadre intimiste, sous des plafonds peints par Tiepolo, le spectacle d'une heure et demie tient plus de la fête décadente baroque que de l'opéra.

Les 70 convives, munis de verres de vin, suivent les chanteurs d'opéra et l'orchestre de la salle de réception au salon et aux quartiers privés. En vêtements contemporains, les chanteurs n'ont rien d'apprêté ou d'anachronique. Ils transmettent même avec ferveur leur passion de Verdi et de Rossini.

⭐ **LA FENICE**
Opéra, musique classique

☎ **billets 041 2424, théâtre 041 786511 ; www.teatrolafenice.it ; Campo San Fantin 1965 ; prix des billets variables ;** ⏰ **variables ;** 🏛 **Santa Maria del Giglio**

Depuis des siècles, malgré deux incendies et mille intrigues de coulisses, c'est sur cette scène minuscule que se fait et se défait la réputation des artistes d'opéra. Détruite par les flammes en 1996, la prestigieuse Fenice ("Phénix") s'est relevée de ses cendres, fidèle à sa vocation de scène baroque depuis 1836. La scène est entourée de loges couvertes de dorures et ornées d'angelots brandissant des instruments de musique. Les **visites** (☎ 041 2424 ; adulte/étudiant 7/5 €) se réservent par téléphone. Le meilleur moyen de découvrir La Fenice est toutefois d'assister à un spectacle avec les *loggione,* ces mordus d'opéra occupant les sièges les moins chers du poulailler et jugeant de la qualité du spectacle. Entre les représentations et après la fin de la saison, des symphonies et des concerts de musique de chambre attirent les foules.

>CASTELLO

Marins, saints et artistes ont fait de Castello ce qu'il est aujourd'hui : un quartier connu pour ses bistrots, ses icônes éthérées et la Biennale. Entre les églises couvertes d'or se dressent de luxueux hôtels historiques donnant sur le Grand Canal, ainsi que les pavillons de la Biennale construits dans une myriade de styles architecturaux modernes. Les communautés grecque et arménienne de Venise vivaient jadis dans ces ruelles tortueuses, aux côtés des marchands turcs et syriens. Le quartier a conservé un esprit cosmopolite, que l'on retrouve dans les restaurants et les collections d'icônes. Castello a aussi su cultiver un raffinement extrême sans sacrifier son tempérament un peu rustre : les chantiers navals de l'Arsenal employaient autrefois 5 000 artisans. C'est là que naquit la flotte qui étendit l'empire vénitien jusqu'à Constantinople. Le Museo Storico Navale et les discussions de comptoir à l'apéritif témoignent encore de cette glorieuse époque.

CASTELLO

📷 VOIR
Pavillons
de la Biennale 1 G6
Fondazione Querini
Stampalia 2 B2
Museo della Fondazione
Querini Stampalia...... (voir 2)
Museo delle Icone 3 C3
Museo Storico
Navale....................... 4 D4
Palazzo Grimani 5 B2
San Francesco
della Vigna 6 D2
San Zaccaria 7 B3
Zanipolo 8 B1

🛍 SHOPPING
Arte Vetro Murano 9 B3
Banco 10....................... 10 C3
Barbieri Arabesque 11 C3
Giovanna Zanella 12 A2
Parole e Musica 13 A2
Schegge........................ 14 B2
Sigfrido Cipolato 15 A3

🍴 SE RESTAURER
Al Covo 16 D3
Al Portego 17 A2
Conca d'Oro 18 B3
Il Ridotto 19 B3
Taverna San Lio 20 A2

Trattoria Corte Sconta .. 21 D3
Zenzero 22 A2

🍸 PRENDRE UN VERRE
Bar Terazza Danieli 23 B4
Enoteca Mascareta 24 B2
Paradiso 25 F6
Taverna L'Olandese
Volante 26 A2

⭐ SORTIR
Collegium Ducale 27 B3

Voir la carte p. 60-61

👁 VOIR

⊙ PAVILLONS DE LA BIENNALE

www.labiennale.org ; 🚉 Giardini
Entre la Biennale consacrée à l'art
(les années impaires) et la Biennale
d'architecture (les années paires),
les jardins publics et les vignes
couvrant le romantique pavillon
britannique font le bonheur
des amoureux et des pique-
niqueurs. Les pavillons
couvrent presque tous les grands
mouvements modernes et les
matériaux, du chalet en bois des
années 1970 du Canada au pavillon
coréen occupant une ancienne
usine électrique. Le pavillon des
Livres, conçu par James Stirling
en 1991, est surtout intéressant
vu de l'extérieur, celui de l'Italie
se distingue par son marbre d'un
blanc aveuglant et son influence
fasciste. L'édifice de Peter Cox pour
l'Australie (1988), initialement prévu
pour être temporaire, ressemble
à un camping-car. Le pavillon
vénézuélien, de Carlo Scarpa (1954),
est le plus remarquable. Mêlant
habilement béton brut et verre,
il n'a rien perdu de sa modernité.
Voir aussi p. 17 et p. 29.

⊙ FONDAZIONE QUERINI STAMPALIA

☎ 041 2711411 ; www.querini
stampalia.it ; Ponte Querini 5252 ;
adulte/étudiant 10/8 € ; 🕐 10h-19h
mar-dim ; 🚉 San Zaccaria

À la croisée du moderne et
du baroque, ce palais du XVIe siècle
fut remis au goût du jour par Carlo
Scarpa dans les années 1940. Un
café et une librairie, conçus par
Mario Botta dans les années 1990,
furent ensuite ajoutés. Les étages
intermédiaires conservent le charme
des siècles passés : les murs tapissés
de soie mettent en valeur les
porcelaines. Une salle entière est
entièrement consacrée à Giovanni
Bellini. Le système de canalisation
de Scarpa, emprunté aux Arabes,
traverse le rez-de-chaussée et
alimente la fontaine dans la cour.
Les expositions d'art moderne
du dernier étage sont inégales.
La chambre principale, ornée des
fresques de Jacopo Guarana, est
digne d'intérêt. Le jardin de Scarpa
se prête à un déjeuner tranquille.
On peut aussi assister à un concert
le samedi soir dans le salon de
musique de style baroque.

⊙ MUSEO DELLE ICONE

☎ 041 5226581 ; www.istitutoellenico.org ;
Campiello dei Greci 3412 ; adulte/étudiant
4/2 € ; 🕐 9h-17h ; 🚉 San Zaccaria
Les icônes grecques qui donnent
son nom au musée furent réalisées
en Italie du XIVe au XVIIe siècle.
San Giovanni Climaco dépeint
avec expressivité l'auteur d'un
ouvrage spirituel grec distrait de
sa tâche par la vision des âmes
précipitées en enfer. L'édifice même
est un témoignage de la tolérance

Voir la carte
Cannaregio (p. 72-73)

Campiello
della Cason

Ella
Widman

C Ospedale

Fond Nuove

C Ospedale Civile
(hôpital)

Campo dei
Miracoli

Campo SS
Giovanni e Paolo

Barbaria delle Tole

C delle Cappuccine

Campo San
Francesco
della Vigna

Chiesa di
San Francesco
della Vigna

Celestia

Ponte de
Panada

Campo
Santa Marina

Ponte
Storta

Campo S
Giustina

Campo
della
Celestia

Rio di San Francesco

Campo
San Lio

Chiesa di San Lio

Nave
d'Oro

Campo Santa
Maria di Formosa

Nave
d'Oro

CASTELLO

Saliz Santa Giustina

Ruga Giuffa

Campa San
Lorenzo

Corta Nova

C dell'Olio

Police

C San Lorenzo

C del Lion

C dei Furlani

C Magno

Campo
d'Gorne

Arsenale
Vecchio

C delle Rasse

Ponte
del Rimedio

Chiesa

Campo S
Provolo

Chiesa di
San Giorgio
dei Greci

Saliz
dei Greci

Saliz del Pignater

C Verier

Voir la carte
San Marco (p. 42-43)

Piazzetta
dei Leoni

World House

Salizada
Sant'Antonio

Chiesa di
San Giovanni
in Bragora

C Dose

C dei Forni

SAN
MARCO

Basilica di
San Marco

Gondola
Service

Campo San
Zaccaria

Chiesa di Santa
Maria della
Visitazione

Cllo
del Pioyan

Piazza
San Marco

Ponte dei Sospiri
(Pont des Soupirs)

Ponte
della Paglia

Riva degli Schiavoni

Campo
della Tana

Piazzetta di
San Marco

Paglia

San Zaccaria

Mon.Vittorio
Emanuele

Pietà

Riva degli
Schiavoni

Riva
Ca' di Dio

Arsenale

Riva S
Biagio

Giardini
Ex Reali

San
Marco

Bacino di
San Marco

Canale di San Marco

San Giorgio

Campo
San
Giorgio

Voir la carte
Giudecca (p. 125)

Campo
Nane
Barbaro

Fond San Giovanni

Canale della Grazia

Isola di
San Giorgio
Maggiore

Teatro
Verde

Zitelle

GIUDECCA

religieuse qui régnait alors dans la cité : siège de l'Église orthodoxe grecque de Venise, il fut dessiné par Baldassare Longhena, architecte officiel de la ville, et servit d'hôpital pour les pauvres jusqu'au XXᵉ siècle.

MUSEO STORICO NAVALE

☎ 041 5200276 ; www.marinadifesa.it ; **Fondamenta dell'Arsenale 2148 ; entrée 1,55 € ;** 🕙 **8h45-13h30 lun-ven, 8h45-13h sam ;** 🚇 **Arsenale**

Ce musée évoque l'histoire de l'empire maritime de Venise (voir p. 166). Un dédale de 42 salles,

réparties sur quatre étages, présente de manière détaillée mais désordonnée des maquettes et de redoutables armes. Ces dernières furent rarement utilisées, mais on les conservait dans l'Arsenal, au cas où… La plus belle pièce est le navire de parade des doges (*bucintoro*), réservé aux cérémonies comme celle du Sposalizio del Mar (Épousailles de la mer ; p. 28). La gondole de Peggy Guggenheim n'est pas mal non plus. Les paquebots et les navires militaires de la Seconde Guerre mondiale sont fascinants.

Les dorures du somptueux bucintoro (navire de parade des doges) au Museo Storico Navale

LES ORCHESTRES D'ORPHELINS DE VENISE

À Venise, la musique sauvait les orphelins – qui permirent à leur tour à la cité de survivre. On dirait du Dickens ? C'est pourtant la vérité.

Entre le XVIe et le XVIIIe siècle, beaucoup de petits Vénitiens devinrent orphelins. Les épidémies de peste et les remèdes de l'époque décimèrent en effet la population adulte. Par ailleurs, la prostitution était alors très développée, de sulfureuses fêtes masquées étaient organisées dans les couvents des îles, et les Vénitiennes prirent l'habitude de s'attacher un *cicisbeo* (chevalier servant) quand leur mari était en mer. L'État recueillait et formait les orphelines de la ville, qui, à leur tour, gagnaient leur vie dans les orchestres et les chœurs. Le Tout-Venise accourait à ces galas de charité avant l'heure, sous la baguette de maîtres de l'envergure de Domenico Cimarosa ou de Vivaldi, lequel travailla plusieurs décennies pour des orchestres d'orphelines. Les dignitaires qui y assistaient étaient invités à se montrer généreux : les musiciens comptaient peut-être quelque enfant naturel.

La réputation de ces formations musicales se propagea à l'étranger alors même que le déclin commercial de Venise s'amorçait : elles contribuèrent ainsi à faire de la cité une capitale européenne du divertissement. Si les orphelins ont disparu des orchestres vénitiens, la musique baroque est toujours interprétée. Pour plus de détails, voir p. 157.

📷 PALAZZO GRIMANI

☎ 041 5200345 ; www.palazzogrimani. org ; Ramo Grimani 4858 ; visites guidées adulte/étudiant et senior 9/5 €, avec l'entrée aux Gallerie dell'Accademia 14/7,50 € ; ⏲ visites 10h, 12h et 15h mar-dim ; 🚉 San Zaccaria

Après 27 années de restauration, les splendides fresques du XVIe siècle de ce palais Renaissance sont enfin visibles. Dans le salon, des oiseaux de proie tournoient au-dessus de forêts en trompe-l'œil ; dans la salle à manger, des grotesques éclipsent les héros de la mythologie ; et, dans l'escalier, un camée représente le vieux doge Grimani recevant la Justice, 40 ans après son procès devant le tribunal de l'Inquisition pour hérésie.

📷 SAN FRANCESCO DELLA VIGNA

☎ 041 5206102 ; Campo San Francesco della Vigna 2787 ; ⏲ 8h30-12h30 et 15h-19h ; 🚉 Celestia

Elle a beau être située à l'écart, cette ravissante église franciscaine est l'une des plus belles vitrines de l'art vénitien. Conçue par Jacopo Sansovino, elle doit sa façade classique à un Palladio encore jeune. À l'intérieur, la *Vierge à l'Enfant avec saints* de Bellini et la gracieuse *Vierge en majesté* d'Antonio da Negroponte, avec des anges qui nagent au-dessus de la tête de la madone et des oiseaux qui se pavanent à ses pieds, illuminent littéralement l'église. Quant aux murs de la chapelle Giustiniani, ils

La basilique gothique de Zanipolo

ont été couverts de hauts-reliefs de marbre très expressifs, réalisés par le sculpteur Pietro Lombardo et son fils Tullio.

SAN ZACCARIA

☎ 041 5221257 ; Campo San Zaccaria 4693 ; Cappella di Sant'Anastasia 1 € ; ⏰ 10h-12h et 16h-18h lun-sam, 16h-18h dim ; 🏛 San Zaccaria

Si les murs de cet ancien couvent pouvaient parler, ils raconteraient la vie de leurs pensionnaires, filles de la noblesse vénitienne, entre prières, concerts et bals masqués. Remarquez la richesse artistique de l'édifice : le sol en mosaïques romaines et byzantines du XIIe siècle, le magnifique polyptyque doré dans la Capella d'Oro, la Vierge mélancolique de Bellini, et la fuite en Égypte, dans laquelle Giambattista Tiepolo plaça un navire vénitien. Ne manquez pas le portrait,

par Antonio Vivarini (1443), de sainte Sabine, sereine malgré l'essaim d'anges bourdonnant autour d'elle comme des moustiques.

ZANIPOLO

Basilica dei Santi Giovanni e Paolo ; ☎ 041 5235913 ; Campo Santi Giovanni e Paolo 6363 ; entrée 2,50 € ; ⏰ 9h30-18h lun-sam, 13h-18h dim ; 🏛 Ospedale

La Basilica dei Santi Giovanni e Paolo, appelée San Zanipolo en vénitien, est la meilleure représentante du style gothique à Venise. Sa construction débuta en 1333. Elle conserve plusieurs chefs-d'œuvre et les tombeaux de 25 doges, exécutés entre autres par Nicola Pisano et Tullio Lombardo. À droite, la première chapelle abrite le relief baroque *Jésus navigateur*, de Giambattista Lorenzetti, où le Christ observe la lune et repère les étoiles comme un capitaine vénitien. Tout aussi splendide, le *San Giuseppe* de Guido Reni montre saint Joseph échangeant des regards adorateurs avec Jésus nourrisson. L'église étant reliée au principal hôpital de Venise, l'Ospedale Civile, l'un des autels les plus sollicités est celui du Vénitien James Salomoni, protecteur des patients souffrant de cancer. L'œuvre la plus spectaculaire est le plafond peint par Véronèse, où la Vierge, couronnée par des chérubins, gravit un escalier entourée d'une ronde d'anges.

🛍 SHOPPING

🏠 ARTE VETRO MURANO
Verrerie

☎ 041 5237514 ; www.artevetromurano.com ; Calle della Rasse 4613 ; 🕐 10h-13h et 15h-18h lun-sam ; 🔱 San Zaccaria

Les nouveaux verriers de Murano renouvellent le genre : les colliers de perles plates et orange de Davide Penso évoquent des gouttes de lave en fusion, et les pendants d'oreille d'Artematte, délibérément dépareillés, feront de vous une star aux vernissages de la Biennale.

🏠 BANCO 10
Mode, commerce équitable

☎ 041 5221439 ; Salizada Sant' Antonin 3478a ; 🕐 10h-13h et 15h30-19h mar-sam ; 🔱 San Zaccaria

Les jupes tourbillonnantes, les sacs à main en tapisserie, les vestes raffinées et les robes de diva présentées dans cette boutique à but non lucratif sont réalisés par les détenues d'une prison pour femmes de la Giudecca. Ce programme de formation professionnelle encourage leur réinsertion après leur libération. Les soies, velours et tapisseries sont de Fortuny et Bevilacqua, les modèles sont conçus par les prisonnières et la boutique est tenue par des bénévoles. Ces créations ont même habillé des divas de La Fenice.

🏠 BARBIERI ARABESQUE
Écharpes et cravates

☎ 041 5228177 ; Ponte dei Greci 3403 ; 🕐 10h-19h30 ; 🔱 San Zaccaria

Si les soirées de La Fenice exigent foulards et cravates de soie, prévoyez châles de laine fine et élégants ascots pour les promenades en gondole au coucher du soleil. Heureusement, Barbieri est là pour vous couvrir le cou avec style. En prime, des cravates pop art et des voiles de plage bleu ombre, produits maison vendus à prix d'usine.

🏠 GIOVANNA ZANELLA
Chaussures

☎ 041 5235500 ; Calle Carminati 5641 ; 🕐 9h30-13h et 15h-19h lun-sam ; 🔱 Rialto

Tissées, sculptées et découpées en forme d'oiseaux, les chaussures de Zanella ne devraient fouler que des tapis rouges. Fabriquées sur mesure, les créations de cette marque vénitienne s'adaptent à toutes les exigences de couleur, de taille et de forme – moyennant finance, bien entendu. Aucun risque de retrouver vos escarpins aux pieds d'Angelina Jolie durant la Mostra…

🏠 PAROLE E MUSICA *Disques*
☎ 041 5235010 ; www.intermusic.biz ; Salizada San Lio 5673 ; 🕐 10h-19h30 lun-sam, 11h-19h30 dim ; 🔱 Rialto

Spécialisée dans la pop, le classique et l'opéra italiens, cette boutique permet de se constituer une belle petite collection de musique vénitienne, mais aussi de découvrir les derniers tubes italiens.

🎭 SCHEGGE *Masques*
☎ 041 5225789 ; Calle Lunga Santa Maria Formosa 6185 ; ⏲ 10h-21h lun-sam ; 🚊 Rialto

Les masques de carnaval vendus dans cette boutique-atelier s'inspirent de différents courants artistiques, de l'architecture gothique aux tableaux de Modigliani… Tard dans la nuit, on peut parfois voir la mère et la fille travailler ensemble.

🎭 SIGFRIDO CIPOLATO *Bijoux*
☎ 041 5228437 ; San Lio Caselleria 5336 ; ⏲ 10h-13h et 15h-19h lun-sam ; 🚊 San Zaccaria

Un masque de carnaval ouvragé

La vitrine, véritable boîte à bijoux, semble tout droit sortie d'un tableau baroque : boucles d'oreille fermées par de minuscules crânes en or, bagues serties d'émeraudes dans le style Fabergé, perles aux formes étranges et diamants… Leur créateur les fabrique sur place : le maître bijoutier Sigfrido (p. 116) use de techniques héritées de générations de joailliers vénitiens.

🍴 SE RESTAURER
🍴 AL COVO
Nouvelle cuisine vénitienne €€€
☎ 041 5223812 ; www.ristorantealcovo. com ; Campiello della Pescaria 3968 ; ⏲ 12h45-15h30 et 19h30-24h ven-mar ; 🚊 Arsenale

Sous ses airs traditionnels, ce restaurant se propose de revisiter les classiques de la cuisine vénitienne. La salade *caprese* au basilic et à la *mozzarella di bufala* est servie avec une succulente gelée de tomates cerises. Les pâtes à l'encre de seiche dissimulent des palourdes et des fleurs de courgette, et cinq sauces différentes relèvent le thon de l'Adriatique. La qualité des fruits de mer et des légumes frais explique les prix de la carte, toutefois compensés par ceux des vins de producteur, disponibles à la bouteille ou à la demi-bouteille. La meilleure option est celle du dîner de trois plats (hors-d'œuvre ou pâtes/plat principal/fromages ou dessert) pour 52 €.

🍴 AL PORTEGO
Cicheti, cuisine vénitienne €

☎ 041 5229038 ; Calle della Malvasia 6015 ; 🕐 10h30-15h et 18h-22h lun-sam ; 🚇 Rialto

Vous aurez peut-être plus de mal à trouver cette *osteria* cachée sous une arche que Marco Polo n'en a eu à trouver la Chine, mais pour déguster des *cicheti*, c'est une très bonne adresse. Venez tôt vous emparer d'un tabouret et de la dernière ration de pâtes aux scampi (*langoustines*) ou rejoignez au bar la foule des amateurs de *frittura mista* (friture de la mer) ou autre *seppia in nero* (seiche cuite dans son encre) accompagnées de polenta. La liste des vins est crânement accrochée à côté d'une affiche précisant les tarifs d'un bordel vénitien.

🍴 CONCA D'ORO *Pizza* €€

☎ 041 5229293 ; Campo Santi Fillipo e Giacomo 4338 ; 🕐 12h-15h30 et 18h30-22h30 ; 🚇 San Zaccaria

La pizza n'est certes pas une spécialité vénitienne mais cet établissement, installé derrière Saint-Marc depuis 1960, fait exception. On y concocte de bonnes pizzas à pâte fine garnies d'ingrédients originaux. Attention, le service est un peu lent. Alors le mieux est de choisir une table en terrasse, sur la place, et de prendre son temps : profitez donc du soleil et du ska italien diffusé à plein volume.

🍴 IL RIDOTTO
Nouvelle cuisine vénitienne €€€

☎ 041 5208280 ; www.ilridotto.com ; Campo Santi Filippo e Giacomo 4509 ; 🕐 19h-23h jeu, 12h-15h et 19h-23h ven-mar ; 🚇 San Zaccaria

De la cuisine (de la taille d'un placard) ouverte sort un flot d'appétissantes petites assiettes : une louche de gâteau de pain (plat salé toscan), une superbe mosaïque de fruits de mer vénitiens ou une délicieuse *panna cotta*. Aux plats principaux, moins convaincants et plus chers, préférez un assortiment d'*antipasti* et de *primi*. Il n'y a que cinq tables serrées (10 places au total) et vos plats vous seront servis sur des assiettes par le patron, Gianni Bonacorsi, en personne. Demandez-lui quel vin choisir ; le restaurant de Gianni est petit et moderne, mais sa cave est vaste et d'époque.

🍴 TAVERNA SAN LIO
Nouvelle cuisine vénitienne €€

☎ 041 2770669 ; www.tavernasanlio. com ; Salizada San Lio 5547 ; 🕐 19h-23h mar-sam ; 🚇 Rialto

Cet établissement moderne a su garder un charme tout vénitien. Ici, les fruits de mer sont à l'honneur : saint-jacques au thym, poivre rose et safran, raviolis de daurade maison et son pesto de menthe, servis avec un verre de pinot *grigio*. Penchés sur les tables en bois, les convives prennent des airs de

Vin et pizza : le repas idéal entre deux visites

conspirateurs, éclairés par de drôles de lampes, et les immenses fenêtres ouvrent sur la rue et son incessant défilé de mode.

🍴 TRATTORIA CORTE SCONTA
Nouvelle cuisine vénitienne   €€€

☎ 041 5227024 ; Calle del Pestrin 3886 ; 🕐 11h30-15h30 et 18h-22h30 mar-sam ; 🚇 Arsenale

Dans ce restaurant avec jardin proche du vieil arsenal, Eugenio Oro célèbre la lagune avec une cuisine inventive qui combine les produits saisonniers de la mer aux trouvailles faites au marché du Rialto : daurade beurrée aux groseilles piquantes, pâtes à l'encre de seiche ou coquilles Saint-Jacques et chiffonnade d'herbes des îles. Oro remet au goût du jour des plats traditionnels comme les

uove di seppie (œufs de seiche), qui doivent être prélevés avec d'infinies précautions pour éviter la rupture de la poche d'encre, puis légèrement pochés pour qu'ils gardent leur parfum. Essayez les amuse-bouches de la mer, dont les crustacés sont arrangés comme des touches de peinture sur la palette d'un artiste vénitien.

🍴 ZENZERO *Cicheti, pâtisseries*€

☎ 041 2412828 ; Campo Santa Marina 5902 ; 🕐 9h-20h lun-sam ; 🚇 Rialto

Vous l'aurez deviné à voir les élégants patrons derrière leur comptoir et leurs pulls aux couleurs coordonnées, tout ici est servi avec une bonne dose de talent en plus : la croûte des croissants faits maison est agrémentée avant cuisson de *grana padano*, au goût de noisette, les feuilletés sont couronnés de purée de truffe, la trévise est humectée de vieux balsamique, les vins sont des appellations d'origine et l'impeccable cappuccino est servi avec une étoile de cacao en poudre.

🍸 PRENDRE UN VERRE

🍸 BAR TERAZZA DANIELI
Lounge terrasse

☎ 041 5226480 ; www.starwoodhotels.com ; Riva degli Schiavoni 4196 ; 🕐 15h30-18h30 mai-sept ; 🚇 San Zaccaria

Admirez la façade de San Giorgio Maggiore s'enflammant aux rayons du soleil de fin d'après-midi sur le plus romantique toit-terrasse de Venise. Testez le cocktail au gin et aux jus d'abricot et d'orange avec une larme de grenadine, signature du Danieli. Pour une addition à deux chiffres minimum, vous aurez droit, outre le superbe panorama, à une chance de côtoyer des célébrités.

▼ ENOTECA MASCARETA
Bar à vin
☎ 041 5230744 ; Calle Lunga Santa Maria Formosa 5183 ; ⏱ 19h-2h ven-mar ; 🚊 San Zaccaria
Ses généreuses assiettes d'amuse-bouches garnies de viande séchée et de fromages artisanaux ont tout l'air de vrais repas et vous aurez bien du mal à résister à la sélection que fera pour vous Mauro, votre hôte, parmi ses 100 vins à 2 ou 4 € le verre. Quand il fait beau, le bar extérieur est l'endroit idéal pour se rassasier de *cicheti* accompagnés d'un verre de vin bio pour moins de 10 €.

▼ PARADISO *Café-bar*
☎ 335 6223079 ; Giardini Pubblici 1260 ; ⏱ 9h-19h ; 🚊 Biennale
Jeunes artistes, conservateurs de musée et architectes se retrouvent sur les canapés branchés et sous les parasols du Paradiso. Café et cocktails sont moins chers que ne le laissent penser les meubles de

créateurs, la proximité de l'eau et l'absence de concurrence : depuis le site de la Biennale, le Paradiso est pourtant le seul café à portée d'escarpins.

▼ TAVERNA L'OLANDESE VOLANTE *Pub*
☎ 041 5289349 ; Salizada San Lio 5658 ; ⏱ 10h-14h et 17h-2h lun-sam, 10h-14h dim ; 🚊 Rialto
L'atmosphère bruyante et la bière bon marché de cet "Hollandais volant" attirent les étudiants étrangers et les excentriques des environs. Les soirs d'été, les clients rentrent chez eux aphones.

☆ SORTIR

▣ COLLEGIUM DUCALE
Musique classique
☎ 041 984252 ; www.collegiumducale.com ; Palazzo delle Prigioni ; adulte/étudiant et senior 25/20 € ; ⏱ concert 21h ; 🚊 San Zaccaria
Que diriez vous de passer une soirée en prison ? Avec un orchestre de chambre s'entend. Les notes graciles d'Albinoni, de Bach et de Corelli s'échappent des hautes fenêtres à barreaux de cette vaste cellule, qui accueillit naguère les prisonniers politiques de la Sérénissime. Il arrive que des divas viennent s'y produire accompagnées d'un pianiste. Si leurs arias résonnent parfois trop dans ce hall de pierre, les voûtes portent à merveille les notes basses.

>CANNAREGIO

On aime généralement Venise pour la beauté de ses monuments, mais, en visitant Cannaregio, on découvre que la ville ne manque pas non plus d'authenticité. Cannaregio emprunte aux quartiers qui l'encadrent : joyeux comme San Marco, aussi discret que Santa Croce, populaire comme Castello et religieux comme San Polo. Si les touristes parcourent d'un pas pressé la Strada Nova entre la gare et le Rialto, il suffit de s'éloigner de quelques rues pour que l'écho des pas résonne dans la Fondamenta della Misericordia, ignorée des vendeurs de T-shirts. Le Ghetto (p. 19) témoigne de la tolérance religieuse dont ont fait preuve les habitants de Cannaregio. Ici, les synagogues construites en hauteur côtoient les églises gothiques. Le soir, les étudiants de l'université Ca' Foscari et les voyageurs s'attardent dans les *osterie* (bars-restaurants) locaux pour boire un verre et refaire le monde. Le quartier compte d'ailleurs les adresses les moins connues et… les moins chères de Venise.

CANNAREGIO

☉ VOIR

Voir la carte p. 72-73

VOIR

CA' D'ORO

☎ 041 5222349 ; www.cadoro.org ;
**Calle di Ca' d'Oro 3932 ; adulte/étudiant
UE -26 ans/citoyen UE -18 ans et plus de
65 ans 6,50/3,25 €/gratuit ; ⏲ 8h15-14h
lun, 8h15-19h15 mar-dim ; 🚊 Ca' d'Oro**
Ce palais, avec son balcon gothique
donnant sur le Grand Canal et
ses mosaïques en marbre, est
un chef-d'œuvre du genre, même
si les marbres polychromes et
les décorations en or qui lui avaient
valu son nom ("maison d'or")
ont depuis longtemps disparu…
En 1916, le baron Franchetti fit
don de la Ca' d'Oro ainsi que de sa
superbe collection d'art à la ville.
Le musée conserve ainsi un beau
retable d'Andrea Mantegna, où
saint Sébastien sanguinolent est
transpercé de flèches, une tendre
Vierge à l'Enfant de Pietro Lombardo,
taillée dans du marbre étincelant
de Carrare, et un nu délavé d'un
fragment de fresque de Giorgione,
qui n'a rien perdu de sa sensualité.

CAMPO DEL GHETTO NUOVO

www.ghetto.it ; 🚊 San Marcuola
La place, par endroits défoncée,
où jouent aujourd'hui des enfants,
était jadis le centre officieux
du commerce vénitien. Si les juifs
furent confinés à l'origine à
la Giudecca, les dirigeants de Venise
comprirent vite l'intérêt qu'ils

avaient à conserver sous la main
ces banquiers, marchands de
textiles et artisans. C'est ainsi
qu'elle autorisa en 1385 les
Arméniens, les juifs, les Turcs et les
Grecs à s'installer dans la cité. Des
centaines de juifs espagnols fuyant
l'Inquisition s'y réfugièrent en 1589.
Une plaque murale rappelle la
tragédie du 5 décembre 1943 et
du 17 août 1944, lorsque 289 juifs
vénitiens furent raflés et amenés
au camp de Fossoli d'où ils furent
déportés dans les camps de la
mort nazis. La maison de retraite
au nord-est de la place abritait des
survivants de l'Holocauste.
On raconte qu'un rabbin
fantomatique hantant la place
après les déportations de la
Seconde Guerre mondiale serait
mystérieusement réapparu dans les
années 1990. Voir aussi p. 19.

Le Campo del Ghetto Nuovo

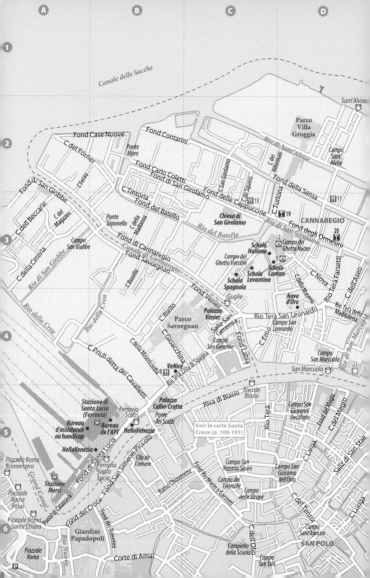

CHIESA DELLA MADONNA DELL'ORTO

☎ 041 2750462 ; Campo della Madonna dell'Orto 3520 ; entrée adulte/-10 ans ou forfait Chorus 3 €/gratuit ; ⏱ 10h-17h lun-sam, 13h-17h dim ; 🚊 Madonna dell'Orto

Souvent ignorée des touristes, cette belle cathédrale gothique en brique est dédiée aux marchands et aux voyageurs (vous, en fait). Le Tintoret (voir p. 15), qui vivait de l'autre côté du pont, y travailla pendant des dizaines d'années. Sa *Présentation de la Vierge au temple*, recouverte d'or, contraste avec *Le Jugement dernier*, situé dans l'abside. Le tableau représente une assemblée d'anges, de saints et de simples mortels tendant le cou pour regarder monter la Vierge à des hauteurs vertigineuses, et sans doute la montrer en exemple à leurs enfants. Le Tintoret et sa famille sont enterrés dans la chapelle.

CHIESA DI SANTA MARIA DEI MIRACOLI

☎ 041 715359 ; Campo dei Miracoli 6074 ; entrée adulte/-10 ans ou forfait Chorus 3 €/gratuit ; ⏱ 10h-17h lun-sam ; 🚊 Rialto

Quand l'icône de la Vierge peinte par Nicolò di Pietro commença à verser des larmes, en 1480, il fut vite impossible de contrôler la foule, faute de place. Par respect pour l'icône miraculeuse, et sans doute pour calmer l'ardeur des fidèles, une collecte fut organisée pour financer la construction d'une chapelle qui abriterait la peinture et ses admirateurs en extase. L'église qui vit le jour n'est pas moins divine ! Pietro Lombardo écarta le style gothique alors en vogue en faveur d'une approche plus simple et plus classique : le style Renaissance. L'intérieur et l'extérieur de ce magnifique édifice sont couverts de marbre scintillant. Dans la grande tradition de l'humanisme, Pier Maria Pennacchi orna chacun des 50 pans de plafond d'un portrait de saint ou de prophète vêtu en Vénitien. Ce qui n'était à l'origine qu'une modeste chapelle devint un monument, et un témoignage du formidable talent artistique vénitien.

MUSEO EBRAICO DI VENEZIA

☎ 041 715359 ; www.museoebraico.it ; Campo del Ghetto Nuovo 2902b ; adulte/étudiant 3/2 €, avec la visite des synagogues 8,50/7 € ; ⏱ 10h-19h dim-ven juin-sept, 10h-19h dim-ven oct-mai ; 🚊 San Marcuola

Outre sa collection consacrée à la culture juive, le Museo Ebraico permet de découvrir une communauté dynamique qui joua un rôle déterminant dans les arts, l'architecture, le commerce et l'histoire de la ville. Des visites guidées (en italien ou en anglais ;

en français sur réservation)
passent par trois à quatre des sept
minuscules synagogues du Ghetto.
Elles partent toutes les heures
à partir de 10h30. Des visites de
l'Antico Cimitero Israelitico (p. 134),
au Lido, sont aussi organisées sur
réservation. Voir p. 19 pour en
savoir plus sur la communauté
juive de Venise.

🛍 SHOPPING

📖 GIANNI BASSO STAMPATORE *Arts du papier*

☎ **041 5234681 ; Calle del Fumo 5306 ;**
🕓 **9h-13h et 14h-18h lun-ven, 9h-13h sam ; 🚇 Fondamente Nuove**
Les cartes de visite exposées dans
la vitrine démontrent l'art de Gianni
Basso en matière de typographie :
celle de la critique gastronomique
Gael Greene comporte un couteau
et une fourchette ; sur celle du chef
d'orchestre Michael Tilson Thomas,
le nom de sa profession sort d'un
piano à queue ; et celle de Hugh
Grant voit son nom associé à un
lion remarquablement dompté.
Choisissez votre propre emblème
dans la collection de livres anciens
illustrés de Gianni, qui le reproduira.

📖 SOLARIS *Livres*

☎ **041 5241098 ; www.libreriasolaris.
com ; Rio Terà della Maddalena 2332 ;**
🕓 **10h15-12h30 et 14h30-19h lun-sam,
10h30-12h30 et 16h-19h dim ; 🚇 San
Marcuola**

Cette minuscule librairie est une
des plus connues à Venise pour
la BD, les polars et la science-fiction.
Un rayon entier est consacré à *Corto
Maltese,* la BD de l'Italien Hugo Pratt
dont les épisodes les plus célèbres
se déroulent à Venise. On y trouve
aussi d'autres types de livres,
des DVD ainsi que des magazines.
La bibliothèque remplie de livres,
contre le mur du fond, est vraiment
impressionnante…

🍴 SE RESTAURER

🍴 AL CICHETI *Cicheti* €

☎ **041716037 ; Calle della
Misericordia 367 ;** 🕓 **7h30-19h30
lun-ven, sam 7h30-13h ; 🚇 Ferrovia**
Pour que le sandwich du train ne
soit pas votre dernier repas vénitien,
offrez-vous un verre de *prosecco*
et une assiette de *pasta e ceci* (pâtes
aux pois chiches), dans ce bar proche
de la gare.

🍴 AL FONTEGO DEI PESCATORI

Nouvelle cuisine vénitienne €€€

☎ **041 5200538 ; Calle Priuli 3726 ;**
🕓 **12h-15h et 19h-22h30 mar-dim ;
🚇 Rialto**
Vous pensiez tout connaître des fruits
de mer et des légumes du cru ? Ce
restaurant inventif doté d'un jardin
vous prouvera peut-être le contraire.
Démarrez avec un Orologio (horloge),
dont les triangles de polenta
pointent sur 12 fruits de la lagune

Rosanna Corró
Artisan papetier et conceptrice de sacs à main chez Carté (p. 87)

Papier cosmopolite J'ai débuté comme restauratrice de livres. J'avais alors accès à des collections privées d'ouvrages anciens dont les pages de garde en papier marbré étaient vraiment étonnantes. Cette tradition du papier marbré (*carta marmorizzata*) fut rapportée à Venise du Japon, par l'intermédiaire des Turcs et des Florentins, puis elle a considérablement évolué. En étudiant les anciennes méthodes de fabrication, j'ai entrevu de nouvelles possibilités… À la fois Brésilienne et Vénitienne, tournée vers la modernité, j'ai pu enrichir cette tradition. **Le calme de Cannaregio** Je puise mon inspiration ici, dans mon quartier, en bas de chez moi : dans les vieux murs de plâtre pelé, dans les éclats de lumière dans l'eau, dans la Madonna dell'Orto [p. 74]. À Cannaregio, il y a environ cinq Vénitiens pour trois touristes, et les berges des canaux sont paisibles et ensoleillées. **Rendre l'humeur de la cité** Chaque feuille de papier est unique, selon la température de l'eau, l'humidité, l'humeur du jour. Lorsque j'arrive à l'exprimer, je suis contente.

différents ou avec un Poker, produit de la mer cru aux saveurs sauvages, genre seiche aux mûres et vinaigre balsamique ou bar aux alkékenges. Faites glisser avec un *lugana*, un blanc aux reflets de lave, et continuez avec des pâtes ou des gnocchis de saison, réinventés tous les jours.

🍴 ALLA VEDOVA
Cicheti, cuisine vénitienne €

☎ 041 5285324 ; **Calle del Pistor 3912 ;** 🕒 **11h30-14h et 18h30-22h30 lun-mer et ven-sam, 18h30-22h30 dim ;** 🚊 **Ca' d'Oro**

Ici, les traditions culinaires remontent loin dans le temps : Alla Vedova compte parmi les plus vieilles *osterie* de Venise. Inutile de chercher un *spritz* ou un café sur le menu, mais vous ne paierez pas plus de 1 € pour grignoter des boulettes de viande au bar (le personnel est intarissable sur la question des spaghettis bolognaise). Les *cicheti* du comptoir sont succulents et à des prix raisonnables, à moins que vous ne préfériez vous installer à l'une des tables de bois usées par des générations de coudes.

🍴 ANICE STELLATO
Nouvelle cuisine vénitienne €€

☎ 041 720744 ; **Fondamenta della Sensa 3272 ;** 🕒 **10h-15h et 19h-24h mer-dim ;** 🚊 **Madonna dell'Orto**

Le lieu est peu engageant, mais la réputation d'Anice Stellato

et de son bar sauvage aux herbes, de son filet d'agneau en croûte de pistaches et de son *moeche* (crabe à carapace molle) frit n'est plus à faire. Les ingrédients sont locaux et généralement bio, les épices évoquent l'histoire de Venise, et l'eau servie à table est celle du robinet pour réduire la pollution due aux bouteilles en plastique. Le service est aimable, les tables invitent à la discussion et les plats sont moins chers qu'on ne pourrait le craindre pour une cuisine de cette qualité.

🍴 ANTICA ADELAIDE
Cuisine vénitienne €€

☎ 041 5232629 ; **Calle Priuli Racheta ;** 🕒 **12h-15h et 18h-23h ;** 🚊 **Ca' d'Oro ;** **V**

Les excellents spaghettis aux couteaux mis à part, la carte conviendra même aux adversaires du poisson : les végétariens adoreront les *orechiette* (pâtes en forme de petites oreilles) au gorgonzola et aux amandes, et la pintade au petit goût d'orange sanguine se marie avec bonheur au traminer blanc aux nuances de fleurs d'oranger.

🍴 BEA VITA
Nouvelle cuisine vénitienne €€

☎ 041 2759347 ; **Fondamente delle Cappuccine 3082 ;** 🕒 **12h-15h et 18h30-22h30 lun-sam ;** 🚊 **Guglie**

Chez Anice Stellato (p. 77)

Avec des plats du jour inventifs comme la *sformata* (flan) au potiron accompagnée d'oie ou de bœuf en sauce de Valpolicella et de baies sauvages, les patrons Roberto et Gilberto proposent des nouveautés bienvenues. Face à la créativité de leur menu à prix fixe (28 € pour trois plats) et de leur choix de vins, les menus touristiques font bien pâle figure.

🍴 DA ALBERTO
Cicheti, cuisine vénitienne €€
☎ 041 5238153 ; **Calle Larga G Gallina 5401** ; ⏱ **12h-15h et 18h-22h lun-sam** ; 🚊 **Ospedale**
Cette adresse, introuvable comme il se doit, a tout d'une authentique *osteria* vénitienne. Les prix doux et la sélection de *cicheti* de saison valent mieux que les sempiternels

crostini : croustillante friture de poisson vénitien ou *baccalà* (morue) sucrée-salée. Attention : la cuisine ferme tôt quand la soirée est calme.

🍴 LA CANTINA *Cicheti* €€
☎ **041 5228258 ; Campo San Felice 3689** ; ⏱ **11h-21h30 mar-sam** ; 🚊 **Ca' d'Oro**
Par une soirée froide et humide, grimpez sur un tabouret et réchauffez vos mains autour d'un bol de soupe de haricots. En été, vous préférerez sans doute siroter une bière Morgana, brassée sur place, accompagnée de *bruschette*. Tout est cuisiné à la commande et les plats de poisson – rouget aux pommes de terre rôties, anchois frits en pain de maïs… – valent l'attente.

🍴 L'ORTO DEI MORI
Nouvelle cuisine vénitienne €€
☎ **041 5243677 ; Campo dei Mori 3386** ; ⏱ **12h30-15h30 et 19h-24h mer-lun** ; 🚊 **Madonna dell'Orto**
Voici un havre romantique de 30 couverts au décor moderne. Le service est si chaleureux, les tables si proches les unes des autres et le vin si généreux que vous risquez de vous voir très vite adoptés par le couple de Vénitiens assis à côté de vous. Restez classique avec un risotto aux langoustines ou testez les tagliatelles aux épinards couronnées de seiche.

Mais, pour le dessert, le bavarois aux noisettes glacées s'impose. Renseignez-vous sur les dégustations de vin du mardi (45 € par personne), dirigées par un sommelier.

OSTERIA BOCCADORO
Nouvelle cuisine vénitienne €€€

☎ 041 5211021 ; www. boccadorovenezia.it ; Campiello Widmann 5405a ; ⏰ 12h-15h et 19h-22h mar-dim ; 🚉 Fondamente Nuove

Les oiseaux qui pépient au-dessus de votre tête sur ce *campo* bucolique espèrent probablement se régaler de vos restes, mais ils en seront pour leurs frais. En effet, les inventifs *crudi* (produits de la mer crus) du patron, Luciano, – thon à l'orange sanguine, crevettes douces sur lit de pomme verte acidulée, ou encore gnocchis vaporeux à l'araignée de mer – sont de petites merveilles vite avalées. Associez-y un blanc traminer riche en minéraux et gardez de la place pour une copieuse mousse aux six chocolats.

VINI DA GIGIO
Cuisine vénitienne €€€

☎ 041 5285140 ; www.vinidagigio.com ; Fondamenta San Felice 3628a ; ⏰ 18h30-24h mer-dim ; 🚉 Ca' d'Oro

Dans cette *osteria* au bord de l'eau, le temps semble ralenti. Les saint-jacques et leur réduction de vin sont servies avec une crémeuse polenta, et l'interminable liste des

vins compte des petits producteurs. Demandez conseil à votre hôte, Paolo Lazzari, fin œnologue.

🍸 PRENDRE UN VERRE

🍸 AL TIMON *Bar*

☎ 041 5246066 ; Fondamenta degli Ormesini 2754 ; ⏰ 11h-15h et 18h-1h jeu-mar ; 🚉 Guglie

Installez votre chaise près du canal et observez la foule… cela vaut presque autant que la cuisine. Mais n'oubliez pas pour autant l'immense choix de *crostini* et les bons crus qui vous tiendront éveillé jusqu'à une heure avancée.

🍸 OSTERIA AGLI ORMESINI
Pub

☎ 041 715834 ; Fondamenta degli Ormesini 2710 ; ⏰ 18h30-2h lun-sam ; 🚉 Madonna dell'Orto

Si le vin est la boisson de prédilection du reste de la ville, la bière est ici à l'honneur, avec 120 marques, principalement étrangères. La clientèle finit toujours dans la rue, surtout quand le *happy hour* sur les paninis attire les étudiants, mais évitez de hurler : les voisins et la direction du bar sont irritables.

🍸 UN MONDO DI VINO *Bar à vin*

☎ 041 5211093 ; Salizada San Canzian 5984a ; ⏰ 11h-15h et 18h30-23h mar-dim ; 🚉 Rialto

GIRI DI OMBRE : TROIS ITINÉRAIRES UN VERRE À LA MAIN
Dorsoduro
Votre visite guidée des meilleurs *happy hours* (*giro di ombra*) débute chez **Cantinone 'Gia Schiavi'** (p. 122) avec un verre de vin ou une *pallottoline* (petite bouteille de bière). Faites halte à l'**Osteria alla Bifora** (p. 123) pour grignoter une assiette de viande, de légumes marinés et de fromage arrosée de vin de la maison, ou allez directement au **Caffè Rosso** (p. 122) ou à l'**Imagina Café** (p. 123), autour du Campo Santa Margherita, pour déguster un *spritz* (cocktail à base de *prosecco*). Lorsque vous arriverez à l'**ImprontaCafé** (p. 119), vous serez mûr pour déguster une polenta grillée aux champignons – et peut-être un expresso.

Rialto
Ce quartier fera le bonheur des plus paresseux : toutes les adresses sont concentrées dans quelques rues ! Démarrez à **I Rusteghi** (p. 54), où les amuse-bouches sont servis à des tables basses dans la cour et arrosés de rouges bien charpentés (oubliez le *spritz*). Traversez le pont pour goûter le vin de la maison d'**Al Mercà** (p. 96), avant de rejoindre **Al Muro** (p. 96), où, installé sur la place, vous prendrez un dernier verre. Finissez la soirée chez **Sacro e Profano** (p. 94) pour déguster les pâtes du jour – en espérant qu'il en reste.

Cannaregio
La tournée des meilleurs bars au bord de l'eau commence avec des boulettes de viande et un verre chez **Alla Vedova** (p. 77). Remontez ensuite le Rio Terà della Maddalena, traversez le Ghetto et franchissez le pont suivant pour rejoindre **Al Timon** (p. 79), où vous attendent des *crostini* et quelques verres à savourer en bordure de canal. Ensuite, à vous de choisir entre une bière à l'**Osteria agli Ormesini** (p. 79), tout près, ou un risotto et des vins à prix corrects chez **Bea Vita** (p. 78) – et pourquoi pas les deux ?

Les premiers clients ont un choix de plats frais et généralement non frits, comme les délicieux artichauts et moules marinées. Ils peuvent aussi manger et boire tranquillement avant que la foule n'envahisse le bar… Quelque 45 vins sont servis au verre (1,50-3,50 €). À ces prix, vous pouvez suivre aveuglément les suggestions du barman.

⭐ SORTIR

 BOTTEGA DEL TINTORETTO
Cours
☎ 041 722081 ; www.tintorettovenezia.it ; Fondamenta dei Mori 3400 ; stage de 5 jours avec déj et matériel 390 € ; 🚇 Rialto

Si l'envie vous prend, au détour d'un canal de Cannaregio, de vous lancer dans l'aquatinte (gravure à l'eau-forte), Roberto Mazzetto vous apprendra tout de cette technique (et de bien d'autres). Les cours, qui comprennent ateliers intensifs et stages d'été de cinq jours, se déroulent dans l'atelier (*bottega*) qui fut celui du Tintoret. Une belle référence pour commencer une carrière…

⭐ CASINO DI VENEZIA
Casino

☎ 041 5297111 ; www.casinovenezia.it ; Campiello Vendramin 2040 ; entrée 5 € ; 🕐 15h-2h30 dim-jeu, 15h-3h ven et sam ; 🚇 San Marcuola

Ce casino est le théâtre de drames quotidiens, et ce depuis que Venise fut possédée par le démon du jeu au XVIᵉ siècle. Le compositeur Richard Wagner survécut à vingt ans d'écriture acharnée du cycle de la *Tétralogie*, pour mourir au casino en 1883. La veste est obligatoire et les nerfs d'acier sont indispensables à ces tables : les mises sont telles que les timorés s'abstiendront.

⭐ CINEMA GIORGIONE MOVIE D'ESSAI *Cinéma*

☎ 041 5226298 ; Rio Terà di Franceschi 4612 ; adulte/étudiant 7,50/5,50 € ; 🕐 séances 17h30, 19h30 et 22h ; 🚇 Ca' d'Oro

Le Giorgione Movie d'Essai est le seul cinéma de Venise, il est donc souvent pris d'assaut. Attention, les bons films attirent tout le temps beaucoup de monde. Ceux qui parlent italien apprendront peut-être au milieu de la file d'attente que tous les billets ont déjà été vendus…

⭐ PARADISO PERDUTO *Concerts*

☎ 041 720581 ; Fondamenta della Misericordia 2540 ; 🕐 19h-1h jeu-lun ; 🚇 Madonna dell'Orto

Malgré ses allures de salle syndicale, c'est l'endroit idéal pour savourer un grog, se faire de nouveaux amis et assister à des concerts qui tournent parfois à l'improvisation – avec la participation du public. La cuisine est sans intérêt, mais profitez de la terrasse en été.

LES QUARTIERS

CANNAREGIO

>SAN POLO

À San Polo, les démonstrations de pure dévotion côtoient les plaisirs terrestres, et les œuvres d'art les plus divines jouxtent l'ancien quartier rouge, où cohabitent aujourd'hui ateliers d'artisans et excellents restaurants. Fiertés des habitants, les deux monuments emblématiques du quartier sont souvent associés, malgré leurs différences : I Frari conserve une magnifique *Vierge* de Titien ; la Scuola Grande di San Rocco est ornée de toiles du Tintoret à la fois sombres et débordantes de vie. Les marchés du Rialto réservent aux gourmets une expérience quasi mystique et aux photographes, de beaux clichés : les piles de fruits de mer tout juste sortis de l'eau, les poissons luisants artistiquement placés en équilibre au sommet de montagnes de glace ainsi que les fruits et légumes produits dans les jardins marécageux de la lagune sont dignes d'une offrande aux dieux. San Polo cache aussi des ateliers d'artisans qui feront le bonheur des amateurs de shopping – sans les ruiner.

SAN POLO

☉ VOIR

☉ CASA DI GOLDONI

☎ 041 2759325 ; www.
museicivicineveziani.it ; Calle dei
Nomboli 2794 ; adulte/étudiant
2,50/1,50 €, gratuit avec le Museum Pass ;
⏱ 10h-18h mer-lun avr-oct, 10h-16h
mer-lun nov-mars ; 🚢 San Tomà

Acteurs, musiciens et écrivains
sentiront certainement l'inspiration
monter en eux des sols en pierre.
C'est en effet dans cette demeure
que naquit Carlo Goldoni
(1707-1793), créateur de l'*opera
buffa* (opéra-comique) et auteur de
satires sociales. Comme l'explique
l'exposition au 1er étage, Goldoni joua
plusieurs personnages au cours de sa
vie : il travailla comme apprenti chez
un médecin avant d'étudier le droit,
une seconde vocation qui s'avéra
utile lorsqu'il peinait à vendre ses
comédies. Goldoni finit toutefois par
séduire le Tout-Venise, qui riait de lui-
même devant ces parodies. La star du
musée est le théâtre de marionnettes
du XVIIIe siècle. Des concerts de
musique de chambre sont aussi
organisés : consultez le programme
sur le site Internet du musée.

☉ CHIESA DE SAN POLO

Campo San Polo 2118 ; entrée 3 €,
gratuit avec le forfait Chorus ;
⏱ 10h-17h lun-sam ; 🚢 San Silvestro

Cette église byzantine du IXe siècle
demeura longtemps méconnue,

malgré les immeubles qui
poussaient autour d'elle.
La plupart des voyageurs passent
devant sans la remarquer. Dotée
d'un haut plafond en quille de
navire et de vitraux des XIVe et
XVe siècles, San Polo frappe par
sa taille et, malgré l'obscurité qui
y règne, par les œuvres qu'elle
abrite. Dans *La Cène* du Tintoret,
les apôtres, apprenant que l'un
d'entre eux va trahir le Christ,
semblent indignés, choqués et
furieux. La tension est palpable.
Giandominico Tiepolo (le fils de
Giambattista, maître des plafonds
baroques), dans son *Chemin de
croix*, montre Jésus en haillons
tachés de sang, tourmenté par des
badauds richement vêtus.
Et sur le fond doré du plafond,
lorsque Jésus sort de son tombeau,
ses bourreaux sont pétrifiés.

☉ I FRARI

Chiesa di Santa Maria Gloriosa dei Frari ;
Campo dei Frari ; entrée 3 €, gratuit avec
le forfait Chorus ; ⏱ 9h-18h lun-sam,
13h-18h dim ; 🚢 San Tomà

Le retable de *L'Assomption* (voir
p. 16), réalisé en 1518 par Titien,
fascine tous ceux qui pénètrent
dans l'abside de cette église. Il
dépeint l'instant où la Vierge quitte
son enveloppe terrestre et monte
au paradis, sa robe rouge flottant
en désordre autour d'elle. Dans le
tableau, les badauds lèvent les yeux,
stupéfaits, et se montrent la Vierge

Les merveilles d'I Frari laissent les visiteurs bouche bée

du doigt, imités aujourd'hui par les visiteurs venus admirer la toile. Le retable n'est pas le seul intérêt de cette vaste église gothique. On remarquera aussi le minuscule puzzle en marqueterie des stalles du chœur, l'émouvant triptyque de Giovanni Bellini, dans la sacristie, la *Madonna di Ca' Pesaro* (retable de la Ca' Pesaro), un autre chef-d'œuvre de Titien. Enfin, à gauche du chœur, la pyramide de marbre est le tombeau d'Antonio Canova, à l'origine conçu par l'artiste comme un hommage à Titien. Ce dernier mourut de la peste en 1576, à 90 ans. À en croire la légende, la reconnaissance d'I Frari pour le peintre était telle que l'on fit exception aux règles de quarantaine pour permettre son inhumation.

PONTE DELLE TETTE
Rialto

Ce "pont des tétons" fut ainsi baptisé à la fin du XVe siècle, lorsque les prostituées du quartier furent invitées à exposer leurs charmes à la vue de tous afin d'encourager l'hétérosexualité. De l'autre côté du pont se trouve le Rio Terà delle Carampane, du nom de la demeure d'une famille de la noblesse (Ca' Rampani), où se retrouvaient les professionnelles des environs. Aujourd'hui encore, celles-là sont communément appelées *carampane* en vénitien.

© PONTE DI RIALTO
🚇 Rialto

Chef-d'œuvre d'ingénierie en son temps, le pont en marbre conçu par Antonio da Ponte en 1592 fut pendant des siècles le seul à enjamber le Grand Canal. Sa construction coûta la somme colossale de 250 000 ducats d'or, à côté desquels les dépassements budgétaires du Ponte di Calatrava (p. 102) sembleraient presque raisonnables ! Aujourd'hui, les Vénitiens préfèrent éviter le Rialto, constamment bouché par les vendeurs et les visiteurs, ou longer son côté nord, moins intéressant. Le sud du pont donne en effet sur San Marco. Au coucher du soleil, après le départ des groupes de touristes et des maniaques de photo, la vue sur le Grand Canal et ses palais est tout simplement splendide.

© SCUOLA GRANDE DI SAN ROCCO
☎ 041 5234864 ; www. scuolagrandesanrocco.it ; Campo San Rocco 3052 ; adulte/moins de 26 ans 7/5 € ; 🕑 9h-30-17h30 avr-oct, 10h-17h nov-mars ; 🚇 San Tomà

Le Tintoret travailla ici durant 23 ans (de 1564 à 1587), et l'œuvre de sa vie n'a rien perdu de sa fraîcheur. On attendait beaucoup de la décoration de cet édifice consacré au saint patron des pestiférés, aussi le Tintoret dut-il se surpasser. Par précaution, il tricha un peu. Au lieu de soumettre des croquis, comme le fit Véronèse, son concurrent, il réalisa un plafond qu'il dédia au saint – sachant bien que la confrérie ne refuserait pas une offrande faite à saint Roch, et que les autres peintres devraient ainsi travailler autour de son œuvre. Il déploya tout son talent dans la Sala Grande Superiore, à l'étage, et couvrit les murs de scènes bibliques aussi animées qu'une bande dessinée. Cette série de tableaux produit un effet vraiment étonnant : on entendrait presque le battement d'ailes des anges fondant sur Élie mourant. Se démarquant des coloristes vénitiens, le Tintoret mit l'accent sur le dynamisme des lignes. On reconnaît ainsi les fondements de l'expressionnisme abstrait dans *La Prière dans le jardin des Oliviers*, où Jésus est représenté, avec des traits sommaires, le visage crispé, sur un fond noir en forme de croix. Voir p. 15 pour en savoir plus sur le Tintoret.

🛍 SHOPPING
🛍 ATTOMBRI *Bijoux*
☎ 041 5212524 ; www.attombri. com ; Sottoportico degli Oresi 74, Rialto ; 🕑 9h-13h et 15h-19h lun-sam ; 🚇 Rialto

Les créations des Attombri ont été vues il y a peu sur les mannequins des défilés Dolce & Gabbana à Milan. Faits main par Stefano et Daniele Attombri, ces somptueux bijoux ornent le cou d'étoiles de mer écarlates ou, rehaussés de perles bleues, s'enroulent élégamment autour du poignet. À partir de 40 €, ces accessoires sont une excellente affaire en comparaison d'un T-shirt griffé D&G.

⌂ BOTTEGA DEGLI ANGELI
Céramiques
☎ 041 710866 ; www.bottegangeli.com ; Calle del Crist 2224 ; ◷ 10h-13h et 15h-20h lun-sam ; ⛷ Rialto
Entre les immenses vases, les petits carreaux et les pendentifs miniatures, difficile de ne pas trouver son bonheur. Les trois céramistes ont créé une collection variée : formes austères, motifs abstraits en verre teinté ou poissons malicieux. Leur marque de fabrique : un rouge difficile à obtenir (tous les céramistes vous le diront). La boutique est aussi un atelier, et Silvia et Giulia Ferretti, céramistes mère et fille, travaillent derrière le comptoir.

⌂ CAMPIELLO CA' ZEN
Antiquités
☎ 041 714871 ; www.campiellocazen. com ; Campiello Zen 2581 ; ◷ 9h-13h et 15h-19h lun- sam ; ⛷ San Tomà
Une lampe ancienne en verre est sans doute la dernière chose que vous aviez prévu de rapporter

dans vos bagages. Vous changerez peut-être d'avis devant le chandelier Salviati des années 1940, tout de fleurs argentées, ou les lampes de chevet Scarpa, à côté desquels la superbe coupe en verre soufflé semble presque pratique. Campiello Ca' Zen livre aussi à l'étranger.

⌂ CARTÉ *Papeterie*
☎ 320 0248776 ; Calle di Cristi 1731 ; ◷ 9h-13h et 15h-19h30 lun-sam ; ⛷ San Tomà
Après des années passées à restaurer manuscrits et ouvrages anciens, la talentueuse Rosanna Corró (p. 76) a lancé une gamme d'objets originaux. Sa minuscule échoppe est remplie de sacs en papier et en tissu aux motifs vénitiens, de panneaux de papier marbré colorés à accrocher sur les murs du salon, et de boîtes décorées de tourbillons optiques. Les albums et les journaux de voyages feront honneur à vos photos de Venise.

⌂ DROGHERIA MASCARI
Alimentation, vin
☎ 041 5229762 ; Ruga degli Spezieri 381 ; ◷ 8h-13h et 16h-19h30 lun, mar et jeu-sam, 8h-13h mer ; ⛷ San Silvestro
Dans le paradis pour gourmets qu'est cette boutique d'épices, les produits sont conservés dans de minuscules tiroirs en bois et des bocaux à couvercle de cuivre.

Les étals bigarrés de la Drogheria Mascari (p. 87)

Dans la vitrine, entre les pyramides de poivre de Cayenne et les montagnes d'anis étoilé, les vins biodynamiques de Vénétie côtoient les huiles d'olive de petits producteurs. À l'arrière, le bar à vin propose une très belle sélection de crus italiens à partir de 5,50 €.

FANNY Maroquinerie
☎ 041 5228266 ; Calle dei Saoneri 2723 ; 🕙 10h-19h30 ; 🚊 San Tomà
Les mains gelées par le froid vénitien, vous serez peut-être soulagé de trouver cette boutique de gants de cuir. Violets à petits boutons jaunes ou turquoise doublés de cachemire, ils allient confort et élégance. À des prix doux, difficile de ne pas craquer pour une pochette orange vif ou un sac à main vert tendre.

GILBERTO PENZO
Maquettes de bateaux
☎ 041 719372 ; www.veniceboats.com ; Calle 2 dei Saoneri 2681 ; 🕙 9h-12h30 et 15h-18h lun-sam ; 🚊 San Tomà
Si vous rêvez de rapporter une gondole avec vous, la boutique de cet artisan vous rendra sans doute complètement fou. Les maquettes en bois sculptées à la main reprennent toutes les formes de bateaux vénitiens. Certaines seront même du meilleur effet dans votre baignoire… Signore Penzo crée aussi des modèles en pièces détachées à assembler soi-même.

HIBISCUS Mode
☎ 041 5208989 ; Ruga Rialto 1060 ; 🕙 10h-19h lun-sam, 11h-19h dim ; 🚊 San Tomà
Besoin d'une tenue en urgence pour l'inauguration de la Biennale d'art contemporain ? Si votre fée marraine est injoignable, Hibiscus devrait probablement pouvoir vous sauver. Tout ce qui fait le style métissé de Venise est ici présent : veste noire et blanche cintrée aux rayures diagonales, mi-bas de soie japonais aux fleurs arachnéennes, ou encore un disque de céramique vénitienne en pendentif.

⌂ I VETRI A LUME DI AMADI
Verrerie
☎ 041 5238089 ; Calle Saoneri 2747 ;
⏰ 9h-12h30 et 15h-18h lun-ven ;
🚇 San Silvestro

Entre les mains du Signore Amadi,
une véritable ménagerie de verre
prend vie : anémones de mer
aux tentacules roses, petits crabes
menaçants, les pinces brandies…
Une armoire à pharmacie renferme
un ensemble de moustiques
de verre, étonnant de réalisme, en
équilibre sur des pattes aussi fines
que des cheveux. Les remarquables
chevaux en verre bleu sont
des Picasso en trois dimensions ;
quant aux haricots et aux oignons
doux, ils donneraient presque faim.

⌂ IL BAULE BLU
Antiquités, jouets
☎ 041 719448 ; San Tomà 2915a ;
⏰ 10h30-12h30 et 16h-19h30 lun-sam ;
🚇 San Tomà

Cet antiquaire aux allures de cabinet
de curiosités est une vraie caverne
d'Ali Baba. Lors de notre dernière
visite, nous y avons croisé des ours
en peluche Steiff et des perles
de verre de Murano (*murrine*)
d'époque, une jupe Marni à pois
verts et d'antiques paires de lunettes
de soleil aux verres bombés. Si les
nounours de vos enfants ont mal
résisté au voyage, l'hôpital des ours
en peluche leur prodiguera soins et
réconfort.

⌂ IL GUFO ARTIGIANO
Maroquinerie
☎ 041 5234030 ; Ruga del Speziali 299 ;
⏰ 10h-15h30 lun-sam ; 🚇 Rialto

Vos photos de Venise méritent
un écrin à leur mesure. Les albums
vendus ici sont en cuir gaufré
à la main dans des couleurs vives
obtenues à base de teintures
végétales. Les motifs en tourbillons
que l'on retrouve sur les carnets,
les sacs à main et les portefeuilles
sont inspirés des ferronneries
des fenêtres et balcons vénitiens.

⌂ LA BOTTEGA DI GIO *Bijoux*
☎ 041 714664 ; www.labottegadigio.it ;
Fondamenta dei Frari 2559a ; ⏰ 10h-13h
et 15h-19h lun-sam ; 🚇 San Tomà

Si vous ne tombez pas amoureux
d'un des colliers de verre exposés,
vous pourrez concevoir le vôtre :
choisissez vos perles de verre de
Murano, votre fil coloré, un cordon
de soie ou de cuir et à vous de jouer.
Comptez 1 € ou plus pour une perle
artisanale tournée au chalumeau :
une ou deux suffiront à faire
un cadeau original et typiquement
vénitien.

⌂ MILLE E UNA NOTA
Instruments de musique
☎ 041 5231822 ; Calle di Mezzo 1235 ;
⏰ 9h45-13h et 15h30-19h30 lun-sam ;
🚇 San Tomà

À la sortie d'un concert des Interpreti
Veneziani (p. 56), tout le monde

LES QUARTIERS

SAN POLO

Profitez de votre séjour à Venise pour acheter de fabuleux articles de papeterie faits main

se pose la même question : est-ce trop tard pour apprendre à jouer d'un instrument ? Si vous optez modestement pour l'harmonica, Mille e Una Note en possède un vaste choix, d'époque ou modernes. Les plus ambitieux y trouveront aussi des luths et des partitions d'Albinoni.

PIED À TERRE *Chaussures*
☎ 041 5285513 ; www.piedaterre-venice.com ; Sottoportico degli Oresi 60 ; ☽ 10h-13h et 15h-19h mar-sam, 15h-19h lun ; 🏛 Rialto
Malgré l'engouement pour les hauts talons des courtisans du Rialto au XVIIIe siècle, la mode des chaussures plates ne s'est jamais démentie

à Venise. Les *furlane* baroques et colorées de Pied à Terre sont faites main en velours et en soie, avec des semelles en pneus de vélo recyclés qui assurent un bon équilibre pour monter en gondole.

SABBIE E NEBBIE
Cadeaux, décoration
☎ 041 719073 ; Calle dei Nomboli 2768a ; ☽ 10h-12h30 et 16h-19h30 lun-sam ; 🏛 San Tomà
Entre influences orientales et occidentales, Rina Menardi réunit des céramiques, des châles d'opéra tissés en Inde et des livres faits à la main à Bologne selon des techniques de papier marbré inventées au Japon.

☐ VIZIOVIRTÙ *Chocolat*
☎ 041 2750149 ; www.viziovirtu.com ; Calle de Campaniel 2898a ; 🕙 10h-18h30 lun-sam ; 🚣 San Tomà

Cet extraordinaire chocolatier vous réserve un délicieux voyage… Si la fontaine de chocolat chaud ne suffit pas à impressionner les admirateurs de Willy Wonka, le héros du film de Tim Burton, les chocolats fourrés et leur surprenante gamme de saveurs le feront certainement : myrtille et violette, vin de Barolo, groseille et basilic, vinaigre balsamique et "Freud" (au cigare, bien entendu).

☐ ZAZU *Mode*
☎ 041 715426 ; Calle dei Saoneri 2750 ; 🕙 14h30-19h30 lun, 9h30-13h30 et 14h30-19h30 mar-sam ; 🚣 San Tomà

Un sac en tapisserie fabriqué en Italie, une robe venue de Barcelone, unique en son genre, et quelques hauts en drapés japonais feront de vous la Marco Polo du monde de la mode. Les prix sont plus élevés que la moyenne, mais restent accessibles, et les articles soldés, à l'arrière, sont entre 50 et 100 €.

🍴 SE RESTAURER

🍴 ALL'ARCO *Cicheti* €€
☎ 041 5205666 ; Calle dell'Arco 436 ; 🕙 12h-15h30 lun-sam oct-mar, 12h-20h30 avr-juin et sept, fermé juil-août ; 🚣 San Silvestro

Ici, les meilleurs *cicheti* (tapas vénitiennes) de la ville ne sont pas au menu – et ne portent même pas de nom. Mieux vaut donc s'inspirer des assiettes de ses voisins. Francesco (voir p. 93) et son fils Matteo imaginent chaque jour de nouvelles créations. Francesco veille aux fourneaux, dans la minuscule cuisine, et concocte, par exemple, des crevettes grillées aux pointes d'asperges blanches enroulées dans du lard fumé et de la sauge. Matteo prend sa place après la livraison de poisson du samedi et prépare des tartares de thon à la menthe, fraises et réduction de vinaigre balsamique. Même avec un *prosecco*, difficile de dépasser 20 € pour une cuisine de premier ordre.

🍴 ANTICA BIRRERIA LA CORTE *Pizza* €€
☎ 041 2750570 ; Campo San Polo 2168 ; 🕙 12h-23h ; 🚣 San Silvestro

Ce restaurant moderne occupe une ancienne brasserie (comme l'indique son nom) du XIXe siècle. On y sert de la viande grillée et de la bonne bière. La pizza est à l'honneur, garnie d'ingrédients originaux comme la roquette, la *bresaola* (bœuf séché) et le *grana padano*. Avec une capacité de 150 personnes, le service est efficace et les tables installées sur la place en été vous mettront aux premières loges des projections de films et des pièces de théâtre en plein air.

🍴 ANTICHE CARAMPANE
Cuisine vénitienne €€€

☎ 041 5240165 ; www.antichecarampane.
com ; Rio Terà delle Carampane 1911 ;
🕐 19-23h mar-sam ; 🚇 San Stae

Dissimulé dans l'ancien quartier rouge, juste derrière le Ponte delle Tette, cet établissement est un paradis pour gastronomes… mais il faut le mériter ! L'adresse est difficile à trouver, les prix sont élevés et il est impossible de réserver. Néanmoins, le serveur vous proposera des plats du jour réalisés à partir de produits frais venus directement des marchés du Rialto – carpaccio velouté, salade de crabes et asperges, ou encore pâtes aux fruits de mers épicés – que vous ne trouverez sur aucun menu touristique.

🍴 ANTICO PANIFICIO *Pizza* €

☎ 041 2770967 ; Campiello del Sol 929 ;
🕐 boulangerie 12h-15h et 19h-23h jeu-lun, restaurant 12h-15h et 19h-23h mer-lun ; 🚇 San Silvestro

Si la plupart des pizzerias de Venise sont destinées aux touristes, cette boulangerie, qui possède un four à pizza, est une institution locale. Les tables installées dehors sont occupées en permanence : dès qu'une place se libère, précipitez-vous et commandez rapidement. Faites honneur à la créativité du chef en préférant une pizza aux anchois, aux fleurs de courgette ou autres garnitures de saison.

🍴 DAI ZEMEI *Cicheti* €

☎ 041 5208546 ; www.ostariadaizemei.
it ; Ruga Vecchia San Giovanni 1045 ;
🕐 9h-20h ; 🚇 San Silvestro

Les jumeaux (*zemei*) qui tiennent ce restaurant s'activent dès 10h en prévision de la déferlante de gourmets bien informés. Les *bruschette* sont généralement les premières à disparaître, suivies des paninis aux lardons et roquette, mais il reste toujours un bon choix de *crostini*, au gorgonzola, aux noix et au cognac, par exemple. Oubliez le *prosecco* et choisissez un *raboso* rustique ou un *refosco*, plus raffiné.

🍴 MAURO EL FORNER DE CANTON *Pain et pâtisseries* €

☎ 041 5222890 ; Ruga Vecchia di San Giovanni 603 ; 🕐 7h-19h lun-sam ;
🚇 Rialto ; Ⓥ

Si vous n'avez pas trouvé tout ce qu'il vous fallait pour le pique-nique sur les marchés de produits frais du Rialto (voir p. 94), arrêtez-vous ici. Faites provision d'hydrates de carbone stylés avec des gressins bien dorés, des *bovoli* (petits pains en forme d'escargots), des baguettes croustillantes et, histoire d'ajouter quelques fibres à un régime basé sur les pâtes, du pain complet. Les stars pâtissières du lieu sont les millefeuilles, les *sfoglie di mele* (feuilletés aux pommes) et les délicieux *pan dei dogi* (biscuits spongieux garni de noisettes).

Francesco Pinto

Maître ès cicheti *(tapas vénitiennes) chez* All'Arco *(p. 91),
et chef d'une* osteria *(bar-restaurant) comme son père et son grand-père*

Pourquoi n'avez-vous pas de menu ? On retrouve certains ingrédients, mais
le reste n'est que fantaisie. Ce que vous mangez aujourd'hui ne sera peut-être
plus là demain. Je suis plus attaché aux traditions que mon fils Matteo, qui
prépare des plats modernes, comme les *crudi* (assiettes de poissons crus) à
l'italienne, c'est un vrai chef pour les sushis. On cuisine non pas pour l'argent mais
pour s'amuser. **Ne quittez pas Venise sans avoir goûté…** Les *sarde in saor*
(sardines en marinade d'oignons) et la *baccalà mantecato* (morue en purée à l'ail
et au persil) – pas de la morue industrielle, elle est séchée et trempée pendant
48 heures. Essayez aussi les vieux plats vénitiens comme les *nervetti* (tendons
de veau) et la *trippa* (tripes)… *[Il s'interrompt]* Vous sentez ? Quelqu'un prépare
du calamar. Les *seppioline in nero* (calamars cuits dans leur encre), ça aussi, il faut
le goûter. **Comment remercier le chef ?** Venir et bien manger. Rester
une heure, pour nous donner le temps de créer un nouveau plat. Ça nous suffit.

🍴 PASTICCERIA RIZZARDINI
Pâtisseries €

☎ 041 5223835 ; Campiello
dei Meloni 1415 ; 🕐 7h30-20h mer-lun ;
🚇 San Silvestro

L'enseigne indique "depuis 1742",
et l'on comprend vite le secret de
la longévité de cette boulangerie :
de succulents choux à la crème et de
redoutables beignets. Repérez aussi
les *lingue di suocere* ("langues de
belle-mère"), les *pallone di Casanova*
("boules de Casanova") et autres
spécialités vénitiennes aux noms
impertinents. Et dépêchez-vous
si vous voulez goûter le tiramisu.

🍴 PESCHERIA *Marché*
Rialto ; 🕐 7h-14h ; 🚇 Rialto

Les poissonniers de ce marché – qui
existe depuis 700 ans – sont aussi
essentiels à la cuisine vénitienne
que n'importe quel chef. Chaque
question sur les poissons peut
déclencher une conversation à
bâtons rompus sur le renouveau de
l'industrie de la pêche en Adriatique.
Les pratiques de pêche durable
ne datent pas d'hier : les plaques de
marbre énonçant les règles relatives
à la taille minimale des prises pour
chaque espèce datent de plusieurs
siècles. Voir aussi p. 14.

🍴 PRONTO PESCE PRONTO
Cicheti €€

☎ 041 8220298 ; Pescheria, Rialto 319 ;
🕐 12h45-14h45 ; 🚇 Rialto

Le poisson de la Pescheria (ci-contre)
est si frais que l'on pourrait le manger
cru – justement, cette poissonnerie
prépare de savoureux *crudi* ainsi
que des salades de fruits de mer
délicatement assaisonnées.
On peut s'accouder au comptoir et
commander un *prosecco* ou, mieux,
aller déguster la salade de *folpeti*
(petits calamars) et les *crudi*
de crevettes, naturellement sucrées,
sur les berges du Grand Canal.

🍴 MARCHÉS DU RIALTO
Marché
Rialto ; 🕐 7h-15h30 ; 🚇 Rialto

Le choix de produits frais est
stupéfiant. On atteint vite les cinq
portions recommandées de fruits et
légumes par jour ! Les montagnes
de tomates juteuses, de légumes
verts parfumés et de tendres
castraure (jeunes artichauts) vous
donneront des envies de salade.
On croise entre les étals plus
de photographes que de clients,
mais les marchands vous feront
peut-être goûter si vous préparez
votre pique-nique. Voir aussi p. 14.

🍴 SACRO E PROFANO
Italien, international €

☎ 041 5237924 ; Ramo Terzo del
Parangon 502 ; 🕐 11h30-13h et 18h30-
1h lun-mar et jeu-sam, 11h30-14h dim ;
🚇 Rialto ; 🅥

Clientèle et carte éclectique dans
ce bistrot bohème qu'anime dans

REPAS EN KIT

Si aucun restaurant ne vous tente, il y a toujours moyen de s'offrir un dîner sur mesure dans les marchés vénitiens. Si vous arrivez trop tard pour les **marchés du Rialto** (p. 14 et ci-contre), qui battent leur plein en matinée, un **marché flottant** (carte p. 110-111, D3 ; Campo San Barnaba, Dorsoduro) est installé le long du Campo San Barnaba. Sachez cependant que le vendeur est un grognon qui refuse parfois de vendre moins de 500 g : il sait bien que ses tomates et ses oranges sanguines sont irrésistibles… Non loin de là, le **marché de Dorsoduro** (carte p. 110-111, D2 ; Campo Santa Margherita, Dorsoduro) se tient en semaine. Les fruits et légumes jouxtent un petit marché de poissons dont le sol est couvert d'encre de seiche. Des plats à emporter sont proposés au comptoir traiteur et boulangerie de **Coop** (p. 105), et des plats de poisson chez **Pronto Pesce Pronto** (ci-contre). Pour arroser votre repas improvisé, remplissez une bouteille vide directement au tonneau chez **Nave d'Oro** (⏰ 8h30-13h et 16h30-19h30 lun, mar, jeu-sam), qui possède des adresses à Cannaregio (carte p. 72-73, D4, F5), Castello (carte p. 60-61, A2, B2) et Dorsoduro (carte p. 110-111, D2).

Reste à savoir où s'installer. Les pique-niques sont interdits sur les places et dans les rues de Venise, mais pas sur les plages du **Lido** (p. 134), dans les jardins de la **Biennale** (p. 59), dans la cour de votre pension ni sur le balcon de votre hôtel donnant (peut-être) sur le Grand Canal.

l'ombre du Rialto un membre d'un groupe de ska local devenu culte, Pitura Freska. Entamez une conversation en dégustant vin et *cicheti* dans la *calle*, puis passez à l'intérieur pour apprécier de larges portions de curry de poulet ou de pâtes végétariennes, le tout à des tarifs pour artistes faméliques. En prime, impromptus de poésie ou de chansons pour le plaisir.

🍴 SNACK BAR AI NOMBOLI
Sandwichs   €
☎ 041 5230995 ; Rio Terà dei
Noraboli 271c ; ⏰ 8h-20h lun-sam ;
🚤 San Tomà
La réponse de Venise aux McDonald's est un dynamique restaurant où les petits pains croustillants sont

généreusement garnis de fromages locaux, de salami, *prosciutto*, rôti de bœuf et autres viandes froides, de légumes grillés et de belles portions de verdure, et assaisonnés de moutarde épicée ou de sauce à l'ortie sauvage. Deux suffisent à remplir l'estomac, trois composent un festin.

🍴 TRATTORIA DA IGNAZIO
Cuisine vénitienne   €€
☎ 041 5234852 ; Calle Saoneri 2749 ;
⏰ 12h-15h et 19h-23h lun-sam ;
🚤 San Silvestro
Ce restaurant a le charme de l'ancien : les poissons grillés de la lagune et les pâtes maison sont fièrement apportés par des serveurs élégants. La salle à manger, avec ses nappes

jaunes et ses orchidées, ne vaut toutefois pas le jardin couvert de vignes où afflue tout le voisinage durant les beaux jours.

Y PRENDRE UN VERRE

Y AL MERCÀ *Bar à vin*
☎ 393 9924781 ; Campo Bella Vienna 213 ; 🕙 12h-15h et 16h-21h lun-sam ; 🚊 Rialto

Dès 18h30, une foule plutôt jeune envahit la place et ce bar. Muni de son verre de vin ou de bière, chacun discute et grignote des *cicheti* qui feront office de dîner. Les vins au verre vont de 2 à 3,50 €, et les *cicheti* commencent à 1 € pour des boulettes de viande et des minipaninis. Attention, les meilleurs choix partent vite.

Y AL MURO
Bar à cocktails, bar à vin
☎ 041 2412339 ; Campo Bella Vienna 222 ; 🕙 9h-15h et 17h-1h lun-sam, 17h-1h dim ; 🚊 Rialto

En voyant le bar en aluminium, les lumières tamisées et les grandes fenêtres, on s'attendrait presque à trouver un tapis et une corde rouges à l'entrée. Les boissons sont néanmoins à prix doux, avec des vins au verre à partir de 2 € et des cocktails corrects à partir de 5 €. Le restaurant à l'étage

est plus coûteux, mais cette adresse est intéressante surtout pour les *cicheti*, à déguster au bar ou sur une des tables de la place, en sirotant un verre en fin de soirée.

Y DO MORI *Bar à vin*
☎ 041 5225401 ; Sotoportego dei do Mori 429 ; 🕙 8h30-20h lun-sam ; 🚊 Rialto

L'artère qui mène au Rialto, perpétuellement encombrée de touristes et de marchands, dissimule, dans une petite rue, ce bar d'un autre âge. Vous le reconnaîtrez aux gigantesques pots en cuivre luisants qui le décorent. On y sert dans une bonne ambiance de délicats sandwichs surnommés *francobolli* (littéralement "timbres-poste"). Venez tôt pour le choix de *cicheti* et les potins locaux.

Y GINGER *Lounge*
☎ 041 5243808 ; Fondamenta di Forner 2924 ; 🕙 8h-0h lun-sam ; 🚊 San Tomà

L'architecte Tadao Ando ne renierait pas la reconversion de ce nouveau bar lounge au design minimaliste en bordure de canal, qui fait écho à celle qu'il a conçue pour la Dogana avec sa brique nue et son plan ouvert. Et malgré tout ça les vins au verre dépassent rarement 5 € – même pour les grands *friulano* et les *soave* de petits producteurs. Bière pression et toutes sortes de paninis.

⭐ SORTIR

⭐ SCUOLA GRANDE DI SAN GIOVANNI EVANGELISTA
Musique classique

☎ 041 4266559 ; www.scuolasangiovanni.it ; Campo della Scuola 2454 ; adulte 30-35 €, étudiant 20-25 € ; 🕐 concert 20h30 mar, jeu et dim ; 🚇 Ferrovia

Des troupes d'opéra locales viennent jouer les grands classiques de l'opéra italien – La *Tosca* de Puccini, *La Traviata de Verdi, Le Barbier de Séville* de Rossini – dans la Scuola Grande di San Giovanni Evangelista. Cette fraternité vénitienne compta longtemps parmi les siens des membres du redouté Conseil des Dix, sorte de service secret de la Sérénissime, ce qui en fit l'une des institutions vénitiennes les plus puissantes et les mieux dotées. Et maintenant que son palais, restauré, est ouvert aux concerts, on peut y assister à des mélodrames dans des lieux où s'écrivit l'histoire.

Pénétrer dans la cour par l'arc de triomphe réalisé en 1481 par Pietro Lombardo vous donnera un sentiment d'importance qu'aucun tapis rouge ne saurait vous offrir. Vous gravirez ensuite le grand escalier double conçu par Mauro Codussi au XVe siècle pour rejoindre le lieu du concert, la salle de réunion créée en 1729 par Giorgio Massari pour la Scuola, dont les murs sont ornés de peintures de Giandomenico Tiepolo. Pas mal comme soirée !

⭐ ARENA ESTIVA
Cinéma, théâtre

Campo San Polo ; 🕐 juil-août ; 🚇 San Tomà

Quand les "arènes d'été" investissent le vieux Campo San Polo, c'est l'occasion de voir des films, des concerts et des pièces en plein air. Tout au long de l'année, des manifestations, des réunions politiques et des concerts improvisés ont également lieu sur la place.

>SANTA CROCE

Voici le vrai visage de Venise, loin des quartiers touristiques. Santa Croce est un réseau de ruelles sinueuses pleines d'ateliers d'artisans, de places (*campi*) où les enfants pédalent sur leur tricycle sous le regard des adultes sirotant du *prosecco*. On y trouve des pizzerias bon marché, rendez-vous des couples d'adolescents, des repaires de la culture alternative ainsi que quelques musées, aussi charmants qu'insolites, occupant des palais historiques. Pour échapper à la frénésie qui règne dans le Rialto, traversez Santa Croce en direction de l'ouest. Vous admirerez en chemin des églises byzantines et des palais baroques, et dégusterez d'excellentes glaces (la pistache est le parfum préféré des Vénitiens). En dehors des musées et de quelques églises, le quartier présente peu de sites touristiques – et c'est bien là ce qui fait tout son charme. La circulation et les vendeurs de souvenirs laissent place à la rumeur tranquille des bars (*bacari*), au clapotis des canaux et à l'écho lent des pas dans les *calli*…

SANTA CROCE

◉ VOIR

Ca' Pesaro	1	H2
Palazzo Mocenigo	2	G2
Ponte di Calatrava	3	B3

🏠 SHOPPING

CartaVenezia	4	G3
Derò	5	C4
Ervas	6	G3
Mare di Carta	7	C3

🍴 SE RESTAURER

Ae Oche	8	F3
Al Nono Risorto	9	H3
Al Vecio Pozzo	10	D3
Alaska Gelateria	11	E2
Coop	12	B3
Coop	13	F2
Gelateria San Stae	14	G2
Muro Pizza & Cucina	15	G3
Osteria La Zucca	16	F2
Osteria Mocenigo	17	G2
Vecio Fritolin	18	G3

🍷 PRENDRE UN VERRE

Al Prosecco	19	F2
La Rivetta	20	D3

⭐ SORTIR

Casa del Cinema	21	G2

Voir la carte p. 100-101

VOIR

📷 CA' PESARO

☎ 041 721127 ; www.
museicivicveneziani.it ; Fondamenta di Ca'
Pesaro 2070 ; adulte/6 à 14 ans, étudiant
et senior 6,50/4 €, gratuit avec le Museum
Pass ; 🕐 10h-18h mar-dim avr-oct,
10h-17h mar-dim nov-mars ; 🚤 San Stae
Ce musée insolite, installé dans
un palais conçu par Baldassare
Longhena en 1710, réconciliera
les amateurs d'art moderne
et d'antiquités japonaises.
Au rez-de-chaussée, la Galleria
d'Arte Moderna conserve des
œuvres des débuts de la Biennale,
notamment des paysages et

des scènes vénitiennes du
XIXᵉ siècle (en particulier de
Giacomo Favretto). La direction
de la Biennale fit aussi l'acquisiton
d'œuvres maîtresses d'autres
pavillons nationaux, comme la
Judith II (*Salomé*) peinte par Klimt
en 1909 ou le *Rabbin de Vitebsk*
(1914-1922) de Chagall. La famille
Pesaro commanda en 1901 le
portrait de Letizia à Giacomo Balla,
qui allait embrasser le futurisme.
Enfin, le legs De Lisi en 1961 ajouta
des Kandinsky et des Morandi à
la collection. À l'étage supérieur
se trouve une véritable curiosité :
les objets exposés dans le Museo
Orientale furent rapportés d'Asie

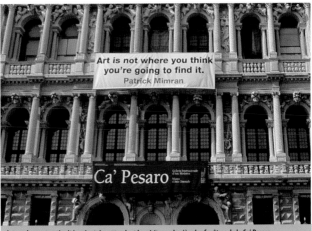

Art moderne et antiquités orientales attendent les visiteurs derrière les fenêtres de la Ca' Pesaro

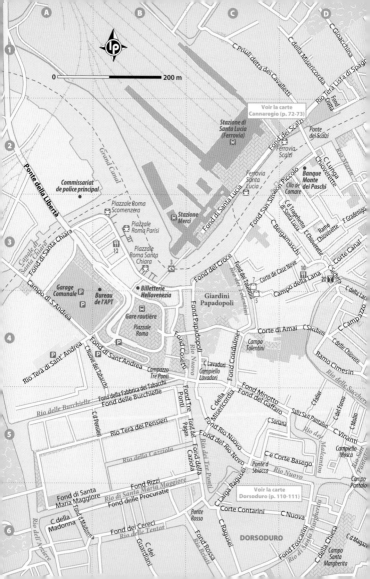

Voir la carte
Cannaregio (p. 72-73)

Voir la carte
Dorsoduro (p. 110-111)

A **B** **C** **D**

1

2

3

4

5

6

C. Priuli detta dei Cavalletti

C. della Misericordia

C. Gioacchina

Rio Terà Lista di Spagna

Fond. Gritti

Stazione di
Santa Lucia
(Ferrovia)

Ponte
dei Scàlzi

Fond. dei Scàlzi

Ferrovia
Scàlzi

Ferrovia
Santa
Lucia

C. Lunga
Chioverere

Banque
Monte
dei Paschi

Cllo de
Comare

Fond. di Santa Lucia

Fond. San Simeòn Piccolo

C. del Traghetto
di Santa Lucia

C. Chioverette

Ramo
Chioverette

F. Gradenigo

C. Bergamaschi

Corte Canal

Commissariat
de police principal

Grand Canal

Piazzale Roma
Scomenzera

Piazzale
Roma Parisi

Stazione
Merci

Fond. del Croce

Fond. dei Tolentini

Rio dei Tolentini

Corte de Case nove

Corte
della Lana

Campo della Lana

C. Seriman

Corte Canal

C. della Lana

Ponte
della Libertà

Piazzale
Roma Santa
Chiara

Billetterie
Hellovenezia

Giardini
Papadopoli

Fond. Papadopoli

Garage
Comunale

Campo di S. Andrea

Canale di
Santa Chiara

Fond. di Santa Chiara

Bureau
de l'APT

Gare routière

Piazzale
Roma

Corte di Amal

Corte di Amal

C. Saccheri

C. Campazzo

C. delle Chiovere

Campo
Tolentini

Rio Nuovo

Fond. Condulmer

Fond. Minotto

Fond. dei Gaffaro

Ramo Climese

Rio delle Secchere

Rio Terà di Sant' Andrea

Fond. di Sant' Andrea

C. Nuova del Tabacchi

Fond. di Sant'Andrea

Campazzo
Tre Ponti

C. Lavadori

Campiello
Lavadori

Fond. Tre
Ponti

C. della
Misericordia

C. della
Pagan

Salizz San Pantalon

C. dei Fonti

C. Vinanti

Fond. della Fabbrica dei Tabacchi
Fond. delle Burchielle

Rio delle Burchielle

C. d' Pensier

Rio Terà dei Pensieri

Fond. del
Rio Novo

Fond. del Rio Novo

C. Soriana

Rio del Malcanton

Campiello
Mosca

Rio della Cazziola

Rio della
Caziola

Fond. del
Rio Novo

Ponte d'
Sbiacca

Rio Nuovo

C.e Corte Basego

Campo
Pantalon

Fond. di Santa
Maria Maggiore

Fond. Rizzi

Rio di Santa Maria Maggiore

Fond. delle Procuratie

C. larga Raguseo

Ponte
Rosso

Corte Contarini

Corte C. Nuova

C. della
Madonna

Fond. di Madonna

C. dei
Cerieri

Rio delle Tentor

C. dei
Giardiani

Ponte
Rosso

C. Ragusei

DORSODURO

Fond. Rosca
Rio Rosa

Fond. Foscarini

C. della Chiesa

Campo
Santa
Margherita

C. d. Magaze

Rio dell' Arzere

0   200 m

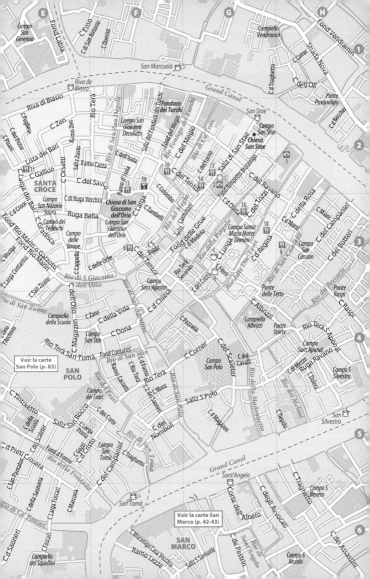

En rouge et noir… et indémodable !

entre 1887 et 1889 par le prince Enrico di Borbone. La collection comprend ainsi sabres, *netsuke* (sculptures miniatures), instruments et écritoires en laque d'Edo, entre autres 30 000 objets d'art.

PALAZZO MOCENIGO

☎ 041 721798 ; www. museiciviciveneziani.it ; Salizada di San Stae 1992 ; adulte/enfant 6 à 14 ans, étudiant et plus de 65 ans 4,50/3 €, gratuit avec le Museum Pass ; ⏱ 10h-17h mar-dim avr-oct, 10h-16h mar-dim nov-mars ; 🚏 San Stae

Ce musée des costumes et du textile occupe les luxueux salons du XVIIIe siècle d'un palais gothique bordant le Grand Canal. On imagine aisément les amours naissantes sous les plafonds peints et les négociations pour l'élection du doge (le dirigeant de Venise) dans la bibliothèque. Sept membres de la famille à laquelle appartenait le palais occupèrent d'ailleurs cette fonction. Les costumes sont astucieusement disposés : un corset dans la chambre de la comtesse, des robes en damas rose au décolleté profond dans le salon rouge et des bas en soie rose brodés d'argent dans la salle à manger rose saumon.

PONTE DI CALATRAVA

🚉 Ferrovia, Piazzale Roma
Le pont Calatrava, qui vient juste d'ouvrir à la circulation piétonne, a déjà été l'objet de nombreuses critiques : une queue de poisson, superflu, élégant mais impraticable en fauteuil roulant… Ce fut surtout, de l'avis général, un gouffre budgétaire qui a pris vraiment beaucoup de retard. Estimée à environ 4 millions d'euros en 2001, la construction a en effet coûté le triple. Forgez-vous votre propre opinion et participez aux débats : le pont est le sujet de conversation favori des Vénitiens à l'heure de l'apéritif.

SHOPPING

CARTAVENEZIA *Papeterie*

☎ 041 5241283 ; www.cartavenezia.it ; Calle Lunga 2125 ; ⏱ 15h30-19h30 lun, 11h-13h et 15h30-19h30 mar-sam ; 🚊 San Stae

Contrairement à la tradition qui règne à Venise depuis 150 ans, Cartavenezia n'est pas spécialisé dans le papier marbré mais dans le papier de coton gaufré et sculpté à la main. Alliant techniques anciennes et chic industriel moderne, les bols et les abat-jour rayés, les bijoux en papier moulé rehaussés d'acier et les frises abstraites méritent une place de choix dans votre salon.

DERÒ *Céramique, verre*

☎ 041 2440074 ; www.riflessidivenezia.it ; Campazzo Tolentini 200b ; ⏱ 10h-19h30 ; 🚊 Piazzale Roma

Malgré les efforts des poètes et des photographes, la Sérénissime reste rétive à se laisser coucher sur le papier. C'est pourquoi Alessandro de Rossi a opté pour le verre, le bois et le tissu. Ses œuvres pleines d'imagination restituent la ligne de toits de Venise en une série d'envolées calligraphiques fulgurantes portées sur des foulards, des assiettes ou des boîtes, qui présentent l'avantage d'être faciles à porter. Vue sous la forme d'une série d'arabesques à l'encre indigo sur fond de bois brut, la ville

semble tout droit sortie d'un récit de voyage sur la Route de la soie.

ERVAS *Textile, fer forgé*

☎ 041 5200490 ; www.ervas-venezia.it ; Calle Lunga 2137 ; ⏱ 10h-13h et 14h30-19h lun-sam ; 🚊 San Stae

Ce petit atelier est rempli d'objets artisanaux, dont des articles textiles aux amusants motifs rétro années 1970 appliqués selon d'antiques méthodes d'impression à la plaque de bois. Les torchons de cuisine sont décorés d'oiseaux et les nappes d'abeilles s'agitant autour de marguerites jaunes. De l'autre côté de la *calle*, l'atelier/salle d'exposition d'Ervas présente des pièces indispensables à la déco de votre château médiéval ou de votre maison de plage au décor marin, avec entre autres des serviteurs de cheminée et des proues de gondole en fer forgé.

MARE DI CARTA
Livres, librairie nautique

☎ 041 716304 ; www.maredicarta.com ; Fondamenta dei Tolentini 222 ; ⏱ 9h-13h et 15h30-19h30 lun-sam ; 🚊 Ferrovia

Paradis des marins et des navigateurs du dimanche, cette librairie vend toutes les cartes et les ouvrages de navigation possibles – l'ensemble des livres de référence pour explorer la lagune, entretenir son navire ou repérer la faune

LES QUARTIERS

SANTA CROCE

aquatique. Après quelques jours à Venise, vous envisagerez peut-être d'apprendre à ramer ou d'acheter un bateau : Maredicarta sera alors votre première étape. Le magasin propose aussi des cours de navigation : demandez les horaires.

🍴 SE RESTAURER

🍴 AE OCHE *Pizza* €
☎ 041 5241161 ; www.aeoche.com ; Calle del Tintor 1552a ; ⏰ 12h-14h20 et 19h-22h30 lun-ven, 12h-14h20 et 19h-23h30 sam et dim ; 🚹 San Stae ; Ⓥ
Si de vieilles publicités pour les patates douces de la marque américaine Champ Louisiana ornent les murs, la clientèle et les 70 pizzas du menu sont, elles, 100% vénitiennes. Les plus aventureux choisiront l'*Equino* (viande de cheval au citron) ou la *Mangiafuoco* ("cracheur de feu", salami épicé, piment et tabasco). Les habitués préfèrent la *Tonnata* (thon, câpres et oignons) et l'*Estiva* (roquette, *grana padano* frais et tomates cerises).

🍴 AL NONO RISORTO
Cuisine vénitienne, pizza €€
☎ 041 5241169 ; Sottoportego della Siora Bettina ; ⏰ 12h-15h et 18h-22h ven-mar, 18h-22h jeu ; 🚹 San Stae ; Ⓥ
Chez Al Nono Risorto, la carte affiche la liste des pizzas mais aussi quelques slogans militants : "N'abandonnez pas les animaux !",

"Égalité pour les gays !", etc. Les prix sont démocratiques, les serveurs semblent considérer les commandes comme une émanation de la culture bourgeoise, mais, par beau temps, le Tout-Venise afflue dans le jardin pour goûter les calamars servis avec de la polenta, le *prosecco* maison et l'ambiance contestataire.

🍴 AL VECIO POZZO *Pizza* €€
☎ 041 5242760 ; www.veciopozzo.it ; Campo de Lana 656 ; ⏰ 12h30-14h30 et 19h-1h jeu-mar ; 🚹 Ferrovia
Autrefois, chaque quartier de Venise avait son puits, autour duquel les voisins se retrouvaient pour bavarder le soir. Sur cette place qui a conservé le sien, Al Vecio Pozzo ("Au Vieux Puits") endosse aujourd'hui ce rôle. Venez tôt si vous voulez vous installer en terrasse ou optez pour les tables rapprochées de la salle aux poutres basses, dont l'un des murs a été peint d'une scène de *campo* (place). La spécialité de la maison est la pizza, mais d'honnêtes *bruschette* et viandes grillées sortent du four au feu de bois. Pâtes fraîches et tiramisu sont faits maison.

🍴 ALASKA GELATERIA
Glaces, cuisine bio €
☎ 041 715211 ; Calle Larga dei Bari 1159 ; ⏰ 9h-13h et 15h-20h ; 🚹 Riva de Biasio
Si les enfants affectionnent les glaces bleues ou celle au chewing-gum, les gourmets les préfèrent

bio et rehaussées d'un zeste de créativité. Alaska confectionne en effet de délicieuses glaces aux pistaches bio grillées, et même aux artichauts ! On peine à croire que cette mousse salée, à peine sucrée et au subtil goût de menthe, est en fait à l'artichaut. Elle se marie d'ailleurs divinement avec celle au citron. À 1,80 € le cornet deux boules, vous pourrez vous autoriser un mélange audacieux, comme une glace cardamome et chocolat noir avec zestes d'orange.

🍽 COOP *Supermarché*
☎ 041 2960621 ; Piazzale Roma ; ⏰ 9h-13h et 16h-19h30 lun-sam ; 🚊 Piazzale Roma
Installez-vous sur une place ou au bord d'un canal et offrez-vous un pique-nique inoubliable : le supermarché Coop propose d'excellents produits à emporter. Le magasin du Piazzale Roma est le plus grand supermarché du centre-ville et sa sélection d'olives et de charcuterie est tout simplement sublime. On trouve aussi un Coop sur le Campo San Giacomo dell'Orio.

🍽 GELATERIA SAN STAE
Glaces   €
☎ 041 710689 ; www.gelateriasanstae. com ; Salizada di San Stae 1910 ; ⏰ 11h-21h mar-dim ; 🚊 San Stae
Les glaces vendues ici, à la fois simples et raffinées, sont à base

d'ingrédients locaux aussi bien qu'exotiques, des noisettes du Piémont à la vanille de Madagascar. Pourquoi se contenter du simple cône vanille à 1,50 € quand, moyennant 2 €, vous obtenez un succulent double cornet aux saveurs fraise et *prosecco* ?

🍽 MURO PIZZA & CUCINA
Pizza   €€
☎ 041 5241628 ; www.murovenezia.com ; Campiello dello Spezier 2048 ; ⏰ 12h-23h mer-lun ; 🚊 San Stae
Tranquille au déjeuner, branché pour le *happy hour* et chic au dîner : entre restaurant, bar et pizzeria, cette adresse a tout pour plaire. Choisissez une table en terrasse ou l'une des confortables banquettes en cuir blanc et soie rayée, sous les murs en brique nue. Les pizzas offrent des garnitures créatives sans vous ruiner, l'éclairage est tamisé et la carte des bières et des vins, au-dessus de la moyenne. Idéal pour une soirée en amoureux.

🍽 OSTERIA LA ZUCCA
Cuisine méditerranéenne   €€
☎ 041 5241570 ; www.lazucca.it ; Calle del Tentor 1762 ; ⏰ 12h30-14h30 et 19h-22h30 lun-sam ; 🚊 San Stae ; Ⓥ
Trop faim pour des *cicheti* (tapas vénitiennes) et pas assez pour un plat de pâtes ? La Zucca a ce qu'il vous faut. Les petites assiettes de fruits et légumes méditerranéens

La cuisine de l'Osteria La Zucca ? Pleine de saveurs…

(5-8 €) allient produits locaux
et influences orientales : courgettes
relevées au gingembre, carottes
au yaourt parfumées au curry, et
gâteau de riz aux fraises. Avec le rôti
d'agneau, les carnivores ne seront
pas lésés, mais les végétariens sont
réellement à l'honneur.

🍴 OSTERIA MOCENIGO
Cicheti, cuisine vénitienne €€
☎ 041 5231703 ; **Salizzada San Stae ;**
🕑 **12h-14h30 et 19h-22h mar-dim ;**
🚇 **San Stae**
Le temps est loin où les futurs doges
se corsetaient dans leurs vestes
cintrées dans le Palazzo Mocenigo
en face. On peut ici se régaler de
cicheti au bar ou prendre une table

pour déguster un repas subtil de
couteaux rôtis, de poisson grillé et
de pâtes maison et philosopher un
verre de vin de Vénétie à la main.

🍴 VECIO FRITOLIN
Nouvelle cuisine vénitienne,
cuisine bio €€€
☎ **041 5222881 ; www.veciofritolin.it ;**
Calle della Regina 2262 ; 🕑 **12h-14h30**
et 19h-22h30 mar-dim ; 🚇 **San Stae**
Couronné par de nombreux prix
Slow Food (comme en témoigne
la vitrine couverte de récompenses),
ce restaurant est prisé des amateurs
de cuisine italienne qui n'ont pas
peur d'une note salée. Quelques
exemples de créations récentes :
pâtes maison aux palourdes de la

lagune, coquille Saint-Jacques au sel de truffe, côtelettes d'agneau au four aux oignons doux et pommes de terre rôties. Tous les ingrédients sont soigneusement sélectionnés sur les marchés du Rialto (conserves et surgelés sont bannis) : n'hésitez pas à demander conseil à votre serveur. Les plus pressés opteront pour le poisson frit à emporter (10 €).

☵ PRENDRE UN VERRE

☵ AL PROSECCO *Bar à vin*
☎ 041 5240222 ; Campo San Giacomo dell'Orio 1503 ; ⏱ 9h-21h lun-sam ; ⛴ Riva di Biasio

Ce bar, caché sur une ravissante place, sert sans chichis de succulents *prosecco* et d'autres vins de Vénétie. Videz votre verre sous les parasols ou au bar, avec les Vénitiens, puis, lorsque les bulles commencent à vous monter à la tête, partagez une grande assiette de viandes séchées ou de fromages locaux. L'ambiance est si conviviale que vous serez sans doute tenté d'en offrir à vos voisins.

☵ LA RIVETTA *Pub*
Calle Sechera 637a ; ⏱ **9h-21h30 lun-sam ;** ⛴ **Ferrovia**

Le cabernet franc et les portions généreuses font le succès de ce bar auprès des gondoliers et des excentriques du quartier. L'assiette garnie d'épais morceaux

de saucisson, de fines tranches de pancetta et de légumes grillés est accompagnée de pain croustillant. Installez-vous près du canal, ou à l'intérieur pour admirer le décor fait de pièces de vélo et de bouteilles poussiéreuses de gin anglais vidées avant la guerre. Une tournée vous vaudra la sympathie générale.

SORTIR

☐ CASA DEL CINEMA *Cinéma*
☎ 041 5241320 ; www.comune.venezia. it ; Palazzo Mocenigo 1990 ; adulte/ étudiant 6/5 € ; ⏱ 9h-13h et 15h-fin des projections lun-ven, 15h-fin des projections sam ; ⛴ San Stae

Entre deux éditions de la Mostra, le festival du film de Venise, ce centre d'archives du film est le lieu de projection par excellence des films art et essai et des grands classiques (le lundi). Le mercredi sont organisées des soirées débats avec des réalisateurs et, le vendredi et le samedi, les cinéphiles poursuivent leurs discussions à l'Osteria Mocenigo (voir p. 106). Quant aux enfants, après avoir assisté à la projection d'un film "pour tous" en semaine, ils filent directement à la Gelateria San Stae (p. 105). Le centre est installé dans le Palazzo Mocenigo ; son entrée est juste après celle du musée du Costume (p. 102) lorsqu'on va vers le canal.

>DORSODURO

Dans d'autres villes, les quartiers populaires attirant les artistes sont des lieux excentrés et un peu douteux… À Venise, il en va autrement. Dorsoduro, qui occupe le cœur de la cité, compte plusieurs palais surplombant le Grand Canal : la Ca' Rezzonico, la collection Peggy Guggenheim et les Gallerie dell'Accademia. Dorsoduro se distingue ainsi plus par ses trésors que par son charme canaille ! Véronèse couvrit sa petite église de quartier de chefs-d'œuvre, Giambattista Tiepolo et Baldassare Longhena déployèrent leur talent dans un couvent qui servait d'auberge, et Tadao Ando, architecte japonais minimaliste, a passé deux ans à transformer les anciens entrepôts de la Punta della Dogana en espace d'art contemporain. Malgré tant de richesses, Dorsoduro n'a rien perdu de sa simplicité. Les riverains se retrouvent à l'apéritif sur le Campo Santa Margherita, attendent tranquillement leurs glaces sur les Zattere et négocient leurs tomates sur la péniche du marché flottant situé le long du Campo San Barnaba.

DORSODURO

Voir la carte p. 110-111

VOIR

CA' REZZONICO

☎ 041 2410100 ; www.
museicivicivineziani.it ; Fondamenta
Rezzonico 3136 ; adulte/6-14 ans, étudiant
et senior 7/5 € ; ☼ 10h-18h mer-lun avr-
oct, 10h-17h mer-lun nov-mars, fermeture
du guichet 1 heure avant ; 🚢 San Stae

Le musée du XVIIIe siècle vénitien
vous éblouira, tout autant que le
palais, conçu par Longhena, qui
l'abrite. La collection est exposée
dans de luxueux salons de musique
et de somptueux boudoirs. Il
y a même une pharmacie où
sont conservés des scorpions
médicinaux. Dans les fresques qui
ornent les plafonds, Tiepolo flatte
son client. Dans celle de la salle du
Trône (*Allégorie du Mérite*), le Mérite
monte au temple de la Gloire,
serrant le *Libro d'Oro* contenant les
noms des nobles vénitiens – et de
la famille Rezzonico. Ne manquez
pas non plus les satires sociales de
Pietro Longhi, *Le Philosophe au livre*
du Guerchin et les vues pointillistes
des canaux d'Emma Ciardi. La salle
de bal accueille des concerts de
musique de chambre de Venise. Voir
aussi p. 22.

CHIESA DE SAN SEBASTIANO

☎ 041 5282487 ; Campo San Sebastiano ;
adulte/-10 ans et forfait Chorus 3 €/
gratuit ; ☼ 10h-17h lun-sam ; 🚢 San
Basilio

Il n'y a qu'à Venise qu'une simple
église de quartier abrite autant
de chefs-d'œuvre. Les chevaux
peints par Véronèse semblent ruer
et sortir de leur cadre, les anges
sont d'un étonnant réalisme et
même les portes de l'orgue ont été
peintes des deux côtés par l'artiste.
D'après la légende, Véronèse
aurait trouvé refuge ici en 1555,
alors qu'il fuyait Vérone où il était
accusé de meurtre. Il en conserva
une immense reconnaissance pour
la paroisse. C'est à la lumière de
cette histoire qu'il faut admirer
son *Martyre de saint Sébastien*, où
le saint condamné lance un regard
de défi à ses bourreaux entourés
d'une foule de nobles richement
vêtus, de marchands enturbannés
et, pour l'effet comique, d'un chien
malicieux.

CHIESA DI SANTA MARIA DELLA SALUTE

☎ 041 5225558 ; Campo della Salute ;
église gratuite, sacristie 1,50 € ;
☼ 9h-12h et 15h-17h30 ; 🚢 Salute

Les chanceux ayant survécu
à l'épidémie de peste de 1630
érigèrent en action de grâces
cette église, Notre-Dame-du-Salut,
qu'ils installèrent sur au moins
100 000 pieux. Les Vénitiens
viennent toujours prier ici une
fois par an pour leur santé (p. 30).
Les spécialistes de l'architecture
ancienne ont noté la ressemblance
entre le plan octogonal inhabituel

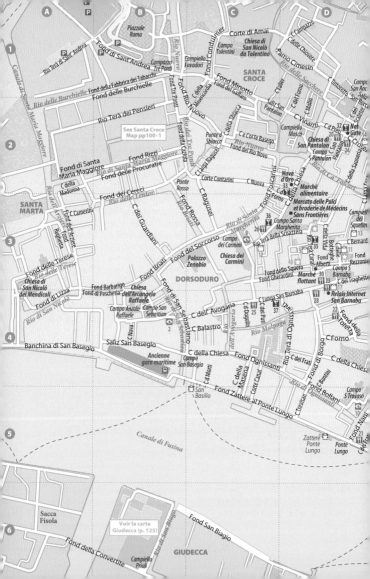

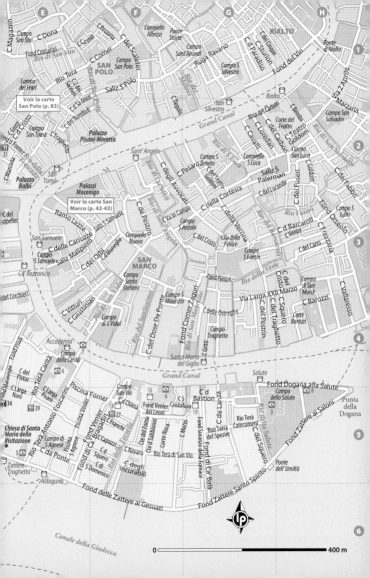

Les divines peintures de Véronèse dans la Chiesa di San Sebastiano (p. 109)

de Longhena, les temples gréco-romains et les diagrammes cabalistiques juifs. Après l'horreur de la peste, peut-être semblait-il sage de concilier plusieurs traditions religieuses. La sacristie conserve *Les Noces de Cana* du Tintoret et pas moins de 12 tableaux de Titien (voir p. 16), dont le retable de *Saint Marc entouré de saint Côme, saint Damien, saint Roch et saint Sébastien* (sa première œuvre connue, 1510), et un autoportrait en *Saint Matthieu*.

GALLERIE DELL'ACCADEMIA

☎ 041 5222247, réservations 041 5200345 ; www.gallerieaccademia.org ; Campo della Carità 1050 ; adulte/citoyen

de l'UE 18-25/-18 ans et plus de 65 ans 7,50/4,25/1 € ; ⏱ 8h15-14h lun, 8h15-19h15 mar-dim, fermeture du guichet 45 min avant ; 🏛 Accademia

Les murs sereins de cet ancien couvent cachent une multitude de chefs-d'œuvre. Toutes les stars de l'art vénitien y sont représentées : Titien et ses scènes sensuelles, le Tintoret et ses tableaux pleins de vie, Vittore Carpaccio, amateur d'horreur, Giovanni Bellini et les tendres sentiments de la Sainte Famille, Rosalba Carriera avec ses portraits sans complaisance, et Véronèse, censuré pour ses commentaires sociaux. Les salles sont vaguement organisées par peintre et par période ; attardez-vous dans les salles 16 à 18, qui rassemblent des portraits remarquables, des panoramas vénitiens de Canaletto et *La Tempête*, de Giorgione (1508).

◎ CHIESA DEI GESUATI

☎ **041 5230625 ; Zattere 918 ; adulte/-10 ans 3 €/gratuit, gratuit avec le forfait Chorus ;** ⏲ **10h-17h lun-sam ;** 🚢 **Zattere**

Si l'art baroque vous laisse de marbre, levez les yeux. Dans les panneaux réalisés sur ce plafond entre 1737 et 1739, Tiepolo a recours à des perspectives et à des couleurs splendides pour évoquer la vie de saint Dominique. À droite de la nef, *Le Pape Pie V et saint Pierre et saint Thomas d'Aquin martyrs*, peint de 1730 à 1733 par Sebastiano Ricci, autre virtuose de la lumière originaire de Venise, offre un contraste frappant avec la *Crucifixion* du Tintoret (1565), où dominent les rouges et les verts sombres. Dans cette église, le baroque vénitien sort de la période noire de la peste.

◎ COLLEZIONE PEGGY GUGGENHEIM

☎ **041 2405411 ; www.guggenheim -venice.it ; Palazzo Venier dei Leoni, Fondamente Venier dei Leone 701 ; adulte/senior/étudiant -26 ans/-10 ans 12/10/7 €/gratuit ;** ⏲ **10h-18h mer-lun ;** 🚢 **Accademia**

Après la disparition de son père sur le *Titanic,* Peggy Guggenheim hérita d'une fortune considérable. Elle fuit les nazis, se rapprocha des dadaïstes et réunit les œuvres d'avant-garde de quelque 200 artistes modernes. Le musée qu'est devenu son palais vénitien est aujourd'hui consacré au futurisme italien, au surréalisme et aux grandes œuvres d'expressionnistes et de "révolutionnaires" tels que Wassily Kandinsky, Max Ernst, son ancien époux, et Jackson Pollock (l'un de ses nombreux amants, selon la rumeur). Sa collection compte aussi des travaux moins connus de Pablo Picasso, Piet Mondrian ou Salvador Dalí. Indifférente au prestige et poursuivant des idéaux modernistes, Peggy Guggenheim s'intéressait aussi aux arts populaires et à des artistes moins célèbres. C'est cette sensibilité particulière que l'on retrouve dans tout le musée.

◎ PONTE DELL'ACCADEMIA

🚢 **Accademia**

Ce pont abrupt enjambant le Grand Canal essouffle depuis 1933 les touristes rejoignant les Gallerie dell'Accademia. Une rénovation de ce pont de bois, à l'origine destiné à remplacer provisoirement un pont métallique du XIXᵉ siècle, vient à peine de commencer que la municipalité a dû rassurer les fervents admirateurs de l'ouvrage

CHASSE AUX TRÉSORS

Faute de retrouver la rotule perdue de saint Marc dans la basilique Saint-Marc ou le Bellini arraché aux murs de la Madonna dell'Orto en 1993, bien d'autres trésors se dissimulent dans Venise.

Le week-end, par beau temps, un marché aux puces (*mercato delle pulci*) investit le Campo Santa Margherita, aux côtés de la braderie de Médecins sans frontières organisé par deux charmants frères vénitiens qui décidèrent un jour que la retraite les ennuyait. En y flânant, on peut dénicher des verres de Murano, de petits pots de poupée en cuivre ou cuire des *cicheti* (tapas vénitiennes), ou encore de vieux magazines de mode italiens sortis des greniers.

L'exposition **Bochaleri in Giardini** (carte p. 60-61 ; www.bochaleri.it ; jardins de la Biennale, Castello ; ⌚ 9h-17h dernier week-end du mois avr-nov ; 🚤 Biennale) constitue la vitrine en plein air des artisans céramistes locaux, dont les productions vont d'assiettes portraits Renaissance typiques au raku (poterie japonaise cuite au feu de bois), proche de la sculpture.

Le **Mercatino dei Miracoli** (⌚ 9h-13h et 15h30-19h30 1ᵉʳ week-end du mois mars-déc ; 🚤 Ca' d'Oro) permet de trouver sur le Campo Santa Maria Nova boutons de verre de Murano des années 1940, services à thé en argent début XIXᵉ et autres trésors exhumés des greniers des *palazzi* à prix brocante (carte p. 72-73, G6). Le **Mercatino dell'Antiquario** (carte p. 42-43, C5 ; ☎ 333 9659994 ; www.mercatinocamposanmaurizio.it ; Campo San Maurizio ; ⌚ 9h-17h dernier week-end mars, juin, sept et déc ; 🚤 Santa Maria del Giglio) propose des céramiques anciennes, des bijoux de succession et des paysages de tempête à des prix qui flirtent avec ceux des enchères de Sotheby's. Reste que c'est plus convivial qu'une salle des ventes. Et où trouver sinon une proue de gondole à peine éraflée ?

en précisant qu'il ne s'agira que de modifications structurelles.

🅒 PUNTA DELLA DOGANA

☎ 199 139139 ; www.palazzograssi.
it ; Punta della Dogana ; adulte/étudiant
-25 ans et senior/-12 ans et handicapé
15 €/10 €/gratuit, billet combiné avec le
Palazzo Grassi 20 €/14 €/gratuit ; ⌚ 10h-
19h mer-lun, accès jusqu'à 1 heure avant
fermeture ; 🚤 Salute

Fortune, la girouette qui surmonte la Dogana, a tourné en faveur de Venise, le jour où le milliardaire François Pinault a choisi

d'installer sa collection dans ces entrepôts douaniers du XVIIᵉ siècle. L'architecte Tadao Ando a éclairé les immenses salles de lumière indirecte qu'il a fait circuler dans des passages de béton poli et des portes d'écluses recyclées, hommage subtil aux réalisations du moderniste Carlo Scarpa dans les jardins de la Biennale (p. 59).

🅒 SCUOLA GRANDE DEI CARMINI

☎ 041 5289420 ; Campo Santa
Margherita 2617 ; adulte/étudiant 5/4 € ;

⏱ **9h-18h lun-sam, 9h-16h dim avr-oct, 9h-16h tlj nov-mars ;** 🚇 **Ca' Rezzonico**
Les voyageurs désargentés du XVIIIe siècle qui arrivaient à la Scuola Grande dei Carmini n'en revenaient pas : après avoir gravi l'un des plus jolis escaliers de Venise, admiré les neuf panneaux de la resplendissante *Vierge en majesté* dont Tiepolo orna le plafond, et franchi de lourdes portes, c'est dans un cadre luxueux de boiseries que les carmélites les accueillaient dans cette auberge. On ne loge plus dans ce superbe édifice, mais l'ensemble **Venice Opera** (www.venice-opera.com) y donne parfois des concerts.

🔲 SQUERO DI SAN TROVASO
Campo San Trovaso 1097 ; 🚇 **Zattere**
Les gondoliers confient leur contrôle technique à un *squero* (atelier de gondoles). Cette cabane en bois, à l'angle du Rio di San Trovaso, compte parmi les trois *squeri* encore en activité à Venise. Laissez un pourboire dans la jarre prévue à cet effet pour prendre une photo à l'intérieur, mais attention à ne pas déranger les artisans qui travaillent avec des outils aiguisés.

🛍 SHOPPING
🔲 ANTICHITÀ TERESA BALLARIN *Antiquités*
☎ **041 2771807 ; Calle delle Botteghe 3184 ;** ⏱ **16h-19h lun, 10h-13h et 15h-19h mar-sam ;** 🚇 **Ca' Rezzonico**

Le choix éclectique d'objets rococo ou rock'n'roll démontre que Venise n'a jamais cessé d'être branchée ! Les vases anciens et les peintures font de jolis souvenirs, mais l'adresse vaut surtout pour ses objets du XXe siècle : bagues futuristes en Bakélite, quelques lampes Scarpa ou encore un vase rare en céramique de Gio Ponti, à des prix que l'on paierait pour des copies.

🔲 AQUA ALTRA *Cadeaux, commerce équitable*
☎ **041 5211259 ; www.aquaaltra.it ; Campo Santa Margherita 2898 ;** ⏱ **16h-19h30 lun, 9h30-12h30 et 16h-19h30 mar-sam ;** 🚇 **Ca' Rezzonico**
De l'époque où la ville contrôlait les échanges maritimes, Venise a conservé un sens aigu du commerce, comme en témoigne cette boutique, entre bon goût italien et altermondialisme. Les chocolats viennent de coopératives de Sierra Leone, les ballons de foot d'une coopérative pakistanaise et les sacs à main sont faits à partir des affiches accrochées sur la façade des *palazzi*.

🔲 DANGHYRA *Céramique*
☎ **041 5224195 ; www.danghyra.com ; Calle delle Botteghe 3220 ;** ⏱ **10h-13h et 15h-19h mar-dim ;** 🚇 **San Tomà**
Les formes élégantes de l'architecte Carlo Scarpa se marient à des

Sigfrido Cipolato
Maître orfèvre et artisan joaillier (p. 66)

De marin à joaillier J'ai commencé à étudier les techniques anciennes – cire perdue, microfusion – pendant mes séjours à terre quand j'étais marin. Au XIIIe siècle, les apprentis étaient sélectionnés dès l'âge de six ans et les joailliers ne choisissaient que rarement leurs propres fils – seuls les plus prometteurs étaient retenus. **Les bijoux en forme de crâne** Le crâne est un motif récurrent pour moi. C'est un *memento mori* : "La vie est courte. Profites-en à fond." **Plaisirs partagés** Il y a un risque à utiliser des matériaux précieux : je vous assure qu'on ne fait pas deux fois la même erreur quand on travaille l'or. Mais, quand un bijou est réussi, il donne de la joie à son créateur, à celle ou celui qui le porte et à tous ceux qui ont l'occasion de l'admirer. Comme la poésie, les bijoux confèrent de la grâce à la vie. **Un monde artisanal** Je vis au Lido, dont les rues sont bordées de pins et de villas, mais je travaille dans les ruelles de la ville. C'est là que sont les artisans. Venise n'est pas un monde industriel. Ici, les gens continuent à créer des objets de leurs mains, et pour peu que vous cherchiez vraiment, vous trouverez des merveilles.

couleurs exubérantes pour former des céramiques ultramodernes tournées à Venise. Les vases orange mats mettront du soleil dans votre chambre, tandis que les bols dorés craquelés font d'un simple plat de pâtes un mets digne des doges.

☐ GUALTI *Bijoux*
☎ 041 5201731 ; www.gualti.it ; Rio Terà Canal 3111 ; 🕙 10h-13h et 15h-19h30 lun-sam ; 🚊 Ca' Rezzonico
Soit une étoile filante a atterri sur votre épaule, soit vous sortez de chez Gualti. Les broches semblent exploser en éclats de verre sur des tiges de résine, et des cascades de métal fusent comme des feux d'artifice d'un collier invisible. Ces bijoux mobiles sont vraiment fascinants. Gualti vend ses pièces uniques à des tarifs raisonnables (à partir de 70 €).

☐ IL PAVONE *Papeterie*
☎ 041 5234517 ; Calle della Chiesa 721 ; 🕙 10h-13h et 14h30-18h mar-sam ; 🚊 Accademia
Votre recette de *baccalà mantecato* (brandade de morue à l'ail et au persil) sera certainement encore plus appétissante dans un livre fait à la main et imprimé de motifs architecturaux gothiques. Les livres de cuisine, les journaux de voyage et les agendas que propose Il Pavone sont joliment

décorés de pigments métalliques. À l'intérieur, tout a été pensé : des onglets pour retrouver ses menus aux rubriques pour repérer ses sites préférés en passant par les pages où noter les anniversaires.

☐ ELITRE *Mode, cadeaux*
☎ 041 0990067 ; Calle Crosera 3949 ; 🕙 10h-19h30 lun-sam ; 🚊 San Tomà
Des extraterrestres trépignent derrière l'écran plat, des nains de jardin laissent voir leur cœur sur les T-shirts de la gamme Love Therapy de Fiorucci, et les meilleures amies du monde manquent de s'écharper pour la dernière paire de mary janes à pois mauves d'Agatha Ruiz de la Prada avant de se réconcilier devant les articles ménagers de Hello Kitty. Un jour ordinaire au rayon soldes d'Elitre, la boutique branchée de Venise.

☐ MADERA *Cadeaux, décoration*
☎ 041 5224181 ; www.maderavenezia.it ; Campo San Barnaba 2762 ; 🕙 16h-19h30 mar-sam ; 🚊 Ca' Rezzonico
Poêles en forme d'horloge, cuillères imitant des langues et saladiers en bois "vagues"... Chez Madera, les objets quotidiens sont conçus dans des matières naturelles et des formes organiques, d'inspiration scandinave et japonaise. La plupart sont fabriqués par la propriétaire et créatrice Francesca Meratti et d'autres noms du design italien.

Comptez au moins 70 € pour
les cuillères en bois.

MARINA E SUSANNA SENT
Verres et bijoux

☎ **041 5208136 ; www.marinae
susannasent.com ; Campo San Vio 669 ;**
🕐 **10h-13h et 15h-18h30 mar-sam,
15h-18h30 lun ;** 🚇 **Accademia**

Porter les créations raffinées
des deux sœurs Marina et Susanna
Sent vous permettra de vous
distinguer des autres touristes dans
Venise. En vente dans les boutiques
des musées vénitiens, leur célèbre
collier "bulles de savon", résistant
malgré sa finesse, ajoutera une
touche d'humour à vos tenues
de soirée. Le verre est associé aux
matériaux les plus inattendus :
colliers de papier turquoise
entourant une pièce de verre mauve
ou pendentif de verre rouge luisant
enserré dans une double rangée de
petits coquillages noirs et blancs.

PASTOR *Gravure sur bois*

☎ **041 5225699 ; www.forcole.com ;
Fondamenta Soranzo della Fornace 341 ;**
🕐 **8h30-12h30 et 14h30-18h lun-sam ;**
🚇 **Salute**

Sur une gondole, la *forcola* désigne
la fourche où repose la rame.
Sculptée à la main dans du bois
d'acacia et du chêne dur, chaque
forcola doit résister à la pression
exercée par le rameur et exprimer
son style particulier. Comme

Étals de fleurs dans Dorsoduro

les meilleurs gondoliers,
les *forcole* de Saverio Pastor sont
aussi équilibrées qu'élégantes.
Mick Jagger se serait fait sculpter
une *forcola* sur mesure.
Plus modestement, vous pouvez
rapporter un petit modèle qui fera
office de sculpture dans votre salon.

🍴 SE RESTAURER

🍴 ANTICA PASTICCERIA
TONOLO *Pâtisseries* €

☎ **041 5327209 ; Calle dei Preti 3764 ;**
🕐 **8h-20h lun-sam, 8h-13h dim ;**
🚇 **Ca' Rezzonico**

Pour vous consoler du triste croissant
sous plastique servi dans les hôtels
au petit-déjeuner, offrez-vous un

croustillant chausson aux pommes ou un pain au chocolat chez Tonolo. En soirée, en guise de goûter tardif, accompagnez votre expresso de beignets chocolat-noisette.

☎ DA NICO Glaces €
☎ 041 5225293 ; Zattere 922 ; 🕙 7h-22h ven-mer ; 🚊 Zattere
Si vous manquez de courage pour aller jusqu'au Lido par une belle journée ensoleillée, installez-vous chez Da Nico et commandez l'une des spécialités de la maison : le *gianduiotto* (une boule de glace à la noisette sous une montagne de chantilly) ou la *panna in ghiaccio* (chantilly glacée entre deux biscuits). Vous pouvez aussi les déguster au bar pour la moitié du prix, mais après cette orgie de glaces, vous aurez peut-être besoin de vous asseoir.

☎ ENOTECA AI ARTISTI
Cuisine italiennne €€
☎ 041 5238944 ; www.enotecaartisti. com ; Fondamenta de la Toletta 1169a ; 🕙 12h-16h et 18h30-22h lun-sam ; 🚊 Accademia
Des pâtes généreuses aux *bruschette* de saison, en passant par la belle sélection de fromages, chaque assiette peut être accompagnée d'un vin servi au verre que le chef des lieux, grand amateur de vins, vous conseillera. La façade vitrée permet d'observer la foule

des passants, mais la salle est petite. Mieux vaut donc réserver si vous êtes plus de deux.

☎ GROM Glace €
☎ 041 0991751 ; www.grom.it ; Campo San Barnaba 2461 ; 🕙 12h-23h ; 🚊 Ca' Rezzonico
Offrez-vous une glace aux divins parfums, créés à partir de noisettes grillées, de goûteuses fraises siciliennes ou encore de citrons d'Amalfi. Plusieurs parfums sont garantis Slow Food ou commerce équitable. Grom utilise du vrai marsala et des œufs bio pour son merveilleux sabayon.

☎ IMPRONTACAFÉ
Cuisine italienne, sandwichs €€
☎ 041 2750386 ; Calle Crosera 3815 ; 🕙 11h-23h lun-sam ; 🚊 San Tomà
Certains clients arrivent pour déjeuner, commandent la polenta, un *prosecco* et un expresso… et s'attardent parfois jusqu'au dîner ! Les assiettes composées sont délicieuses, en particulier la polenta grillée aux champignons sauvages, saucisson vénitien (*sopressa*) et salade. Le bouddha qui trône sur le bar ajoute une pointe d'humour à la décoration minimaliste.

☎ LA PROFETA Pizza €€
☎ 041 5237466 ; Calle Lunga San Barnaba 2471 ; 🕙 12h-15h30 et 19h-23h ven-mer ; 🚊 Ca' Rezzonico

LES QUARTIERS

DORSODURO

Changez de régime pour passer des fruits de mer à la pizza, aux viandes grillées et au canard aux *bigoli* (pâtes vénitiennes au blé complet) dans ce restaurant situé près du Campo Santa Margherita. Le jardin a du succès et le service est souvent débordé. Venez tôt et n'ayez pas peur d'attendre.

🍴 PIZZA AL VOLO *Pizza* €
☎ 041 5225430 ; **Campo Santa Margherita 2944 ;** 🕐 **12h-1h ;**
🚏 **Ca' Rezzonico**
Après la fermeture des restaurants, les noctambules lassés des *cicheti* (tapas vénitiennes) et errant en quête d'une table où dîner apprécieront cette adresse. Les pizzas y sont correctes et bon marché. La pâte est à la fois fine et croustillante, et les garnitures, qui n'ont rien de très original, ne dégoulineront pas sur vos genoux.

🍴 RISTORANTE CANTINONE STORICO *Cuisine vénitienne* €€€
☎ 041 5239577 ; **Fondamenta di Ca' Bragadin 660-661 ;** 🕐 **12h-15h et 19h-22h lun-sam, fermé nov et jan ;** 🚏 **Accademia**
La terrasse bordant le canal est jolie, mais, dès que votre assiette de pâtes arrive, vous n'aurez d'yeux que pour elle : les tagliatelles aux asperges, les crevettes et les artichauts à la *busara* (sauce aux crevettes) peuvent sembler tout simples, mais vos papilles seront en fête.

Les prix sont plutôt élevés, mais l'établissement est proche des Gallerie dell'Accademia et prépare d'authentiques plats vénitiens avec les meilleurs ingrédients.

🍴 RISTORANTE LA BITTA
Cuisine italienne €€€
☎ 041 5230531 ; **Calle Lunga San Barnaba 2753a ;** 🕐 **19h-22h lun-sam ;** 🚏 **Ca' Rezzonico**
La petite carte du jour (pas de poisson) présentée sur un chevalet de peintre miniature est une œuvre d'art. Le *radicchio sformata* (cake salé à la chicorée) est fondant avec du *taleggio*, les gnocchis au potiron sont aussi riches que la Ca' Rezzonico et le filet de porc et sa réduction de bacon et de prune sont assez juteux pour vous faire mordre la serviette. Le restaurant ne propose pas de vin au verre, mais vous pouvez demander que l'on vous serve la moitié d'une bouteille.

🍴 RISTORANTE SAN TROVASO *Cuisine vénitienne* €€
☎ 041 5230835 ; **www. tavernasantrovaso.it ; Calle della Accademia 967 ;** 🕐 **12h-15h30 et 19h-23h ven-mer ;** 🚏 **Accademia**
Terrassé par la beauté des œuvres exposées à l'Accademia, vous aurez peut être besoin de vous reposer un moment. Ce restaurant rustique situé juste à côté du musée peut

RETOUR À L'ÉCOLE

Pour maîtriser le dialecte vénitien, apprendre à concocter les spécialités locales, ramer sur le canal de la Giudecca ou fabriquer votre propre masque, voici quelques idées de cours.

Imaginez et réalisez votre déguisement de carnaval chez **Ca' Macana** (☎ 041 2776142 ; www.camacana.com ; Calle delle Botteghe 3172 ; cours environ 60 € ; 🕑 11h lun, 14h30 ven ; 🚇 Ca' Rezzonico). L'atelier de fabrication et de décoration de masques se déroule pendant deux heures et demie dans un studio d'artisan situé dans une petite rue. Le tarif par personne est inversement proportionnel à l'importance du groupe.

Pour connaître Venise de l'intérieur, participez aux cours (en anglais) proposés par le **Venetian Club** (☎ 345 8306533 ; www.thevenetianclub.co.uk), groupe de Vénitiens de naissance ou d'adoption travaillant ensemble à promouvoir l'héritage culturel de la ville. Vous pourrez au choix vous initier à la rame sur des embarcations artisanales (voir p. 143), découvrir l'art de la mosaïque et de la verrerie, du papier marbré et de la reliure, prendre des leçons de chant ou de cuisine vénitienne.

À l'**Istituto Venezia** (☎ 041 522 43 31 ; www.istitutovenezia.com ; Campo Santa Margherita 3116a ; cours par semaine 160-540 € ; 🚇 Ca' Rezzonico), les cours d'italien se poursuivent sur la place autour d'un verre. Les cours de langue et d'art durent une semaine ou plus et sont adaptés à tous les niveaux. Des cours particuliers sont aussi possibles (tarif à l'heure). Les prix varient en fonction de la taille du groupe et de la durée du stage.

constituer une bonne option. On vous y servira, à prix raisonnable, des calamars frits, une polenta ou des *sarde in saor* (sardines marinées aux oignons), accompagnés d'une carafe de *soave*. Jardin et salle à poutres apparentes. Service efficace.

🍴 **RISTOTECA ONIGA**
Cuisine vénitienne €€
☎ 041 5224410 ; www.oniga.it ;
Campo San Barnaba 2852 ; 🕑 12h-15h et 19h-22h mer-lun ; 🚇 Ca' Rezzonico
Les puristes de la cuisine vénitienne viennent ici goûter aux *nervetti* (tendons de veau) et au foie de veau aux oignons concoctés par Annika. Les moins aventureux trouveront

aussi leur bonheur : en saison, les raviolis à la ricotta, aux brocolis et aux graines de pavot sont d'une fraîcheur printanière. La terrasse, sur la place, et l'excellent service achèveront de vous convaincre.

🍴 **TRATTORIA DONA ONESTA**
Cuisine vénitienne €
☎ 041 710586 ; www.donaonesta.com ;
Calle Dona Onesta 3922 ; 🕑 12h-15h30 et 18h30-22h ; 🚇 San Tomà
La maison abreuve généreusement en vin ses fidèles, qui se plaignent de Berlusconi et se consolent en dévorant de belles portions de moules et de palourdes. D'avis d'expert, le propriétaire égyptien

Le Cantinone "Gia Schiavi"

cuisine comme un Vénitien. Les végétariens apprécieront les pâtes aux légumes relevées de poivron rouge grillé. Et les prix raisonnables feront le bonheur de tous.

▼ PRENDRE UN VERRE

▼ CAFÉ NOIR *Café-bar*
☎ 041 710925 ; Calle Crosera 3805 ; 🕙 7h-2h lun-ven, 17h-2h sam, 9h-2h dim ; 🚹 San Tomà
Après avoir fait la fermeture, les fidèles reviennent le matin pour prendre leur expresso. Étudiants en architecture, musiciens et voyageurs se retrouvent à

toute heure autour d'un *spritz*. Quelques idées pour entamer la conversation : affirmer qu'Albinoni est sous-estimé et que le *spritz* est meilleur à l'Aperol qu'au Campari.

▼ CAFFÈ ROSSO *Café-bar*
☎ 041 5287998 ; Campo Santa Margherita 2963 ; 🕙 7h-1h lun-sam ; 🚹 Ca' Rezzonico
La vie du Campo Santa Margherita tourne autour de ce café, surnommé "Rosso" en raison de ses fenêtres rouges. Par beau temps, les habitués affluent dès le matin à la terrasse, commentant les gros titres des journaux, puis savourant un *prosecco* au déjeuner. Le soir, les étudiants viennent pour le *spritz* et l'animation.

▼ CANTINONE "GIA SCHIAVI" *Pub, bar à vin*
☎ 041 5230034 ; Fondamenta Nani 992 ; 🕙 8h30-20h30 lun-sam ; 🚹 Accademia
Pendant le *happy hour*, il vous faudra jouer des coudes et des cordes vocales pour passer commande et rapporter sans le renverser votre verre de vin ou *pallottoline* (petite bouteille de bière) dehors, près du canal. Une brochette d'étudiants, d'artisans et d'intellectuels est en général perchée sur la balustrade et le pont. Avant de les imiter, sachez qu'il faut de l'entraînement pour ne pas tomber !

⅄ IMAGINA CAFÉ *Café-bar*
☎ **041 2410625 ; www.imaginacafe.it ; Rio Terà Canal 3126 ; ⏱ 8h-2h lun-sam ; 🚇 Ca' Rezzonico**

Les banquettes confortables, les œuvres de jeunes artistes aux murs et la collection de bouteilles d'Aperol derrière le bar séduisent une clientèle de fidèles, hétéro et gay. La terrasse sur la place est très ensoleillée.

⅄ OSTERIA ALLA BIFORA
Bar à vin
☎ **041 5236119 ; Campo Santa Margherita 2930 ; ⏱ 10h-2h ; 🚇 Ca' Rezzonico**

En attendant que les serveurs peu pressés vous apportent votre plat, sirotez votre verre de vin, profitez de l'ambiance romantique de ce bar et prenez votre mal en patience. Ce bar est plus agréable que ses voisins de la place, et on y voit parfois de parfaits étrangers faire connaissance autour des tables communes.

⅄ TEA ROOM BEATRICE
Salon de thé
☎ **041 7241042 ; www.bedandbreakfast-fujiyama.it ; Calle Lunga San**

Barnaba 2727a ; ⏱ 10h-18h ; 🚇 Ca' Rezzonico

Une adresse huppée pour changer des expressos avalés en hâte au bar. Par temps de pluie, commandez un thé vert et un gâteau aux amandes dans le salon japonais. Aux beaux jours, on optera pour des pistaches et des boissons fraîches dans le patio.

★ SORTIR

▨ VENICE JAZZ CLUB *Jazz*
☎ **041 5232056 ; www.venicejazzclub. com ; Ponte dei Pugni 3102 ; entrée comprenant une boisson 20 € ; ⏱ à partir de 19h lun-mer, ven-sam sept-juil ; 🚇 Ca' Rezzonico**

Ce club de jazz propose, dans une ambiance détendue, des improvisations en hommage à des maîtres comme Miles Davis et Chet Baker. Les boissons sont chères et la plupart des habitués se contentent du verre compris dans l'entrée avant de s'éclipser pour finir la soirée ailleurs. La musique commence à 21h.

>GIUDECCA

Connue depuis des siècles pour ses richesses architecturales – des œuvres de Palladio –, cette partie de la lagune fut un lieu de villégiature pour les classes aisées de Venise en mal de verdure, avant de se transformer radicalement au XIXᵉ siècle et de voir s'étendre usines et immeubles d'habitation. Comme la plupart des anciens quartiers industriels un peu douteux, la Giudecca est récemment devenue un coin ultrabranché. Un théâtre, des galeries et des lofts aux loyers abordables occupent désormais les murs des anciennes manufactures et des vieux entrepôts des docks. La prison pour femmes, qui existe encore, se trouve maintenant à proximité d'un tout nouveau spa de luxe et d'un Harry's Bar ! Sautez dans le premier *vaporetto* pour découvrir la Giudecca tant que l'atmosphère vibre encore de créativité et que les prix n'ont pas chassé les artistes fauchés.

GIUDECCA

VOIR

CHIESA DI SAN GIORGIO MAGGIORE

☎ 041 5227827 ; Isola di San Giorgio Maggiore ; église gratuit, campanile 3 € ; 9h30-12h30 et 14h30-18h30 lun-sam mai-sept, 9h30-12h30 et 14h30-16h30 lun-sam oct-avril ; 🚢 San Giorgio

L'église San Giorgio Maggiore, chef-d'œuvre dessiné par Andrea Palladio, a été conçue pour éblouir. Pratiquement aveuglé par la façade en marbre blanc d'Istrie, on découvre en s'approchant la profondeur des colonnes massives qui soutiennent le double tympan triangulaire, où est représentée la Sainte Trinité. À l'intérieur, on reste saisi par les plafonds s'élevant en volutes vers les hauteurs et par les grandes ouvertures qui laissent le soleil remplir l'espace. Au sol, le pavement de pierres noires, blanches et rouges emmène le visiteur jusqu'à l'autel. Remarquez les deux chefs-d'œuvre du Tintoret : *La Récolte de la manne*, sur la gauche, et, sur la droite, *La Cène*. Ne manquez pas non plus la ravissante *Vierge à l'Enfant entourée de saints* de Sebastiano Ricci. Pour terminer cette visite, grimpez en haut du campanile, d'où la vue sur la lagune est saisissante.

L'église San Giorgio Maggiore, conçue par Palladio, tout simplement éblouissante

ANTONIO PALLADIO, 500 ANS ET TOUJOURS BON TEINT

Antonio Palladio (1508-1580) a construit dans sa Vénétie natale des églises et des villas d'une force et d'une luminosité sans pareilles. À l'occasion du 500ᵉ anniversaire de la naissance de leur créateur, elles ont été méticuleusement nettoyées et leur marbre blanc a retrouvé tout son éclat d'origine.

Les simples touristes se contenteront de contempler les éblouissantes façades de la **Chiesa di San Giorgio Maggiore** (ci-contre) et d'**Il Redentore** (p. 128) depuis l'autre rive du canal. Les vrais amateurs d'architecture viendront sans aucun doute voir de près les jeux d'ombre et de lumière sur les différents volumes de ces deux édifices, et découvrir, à l'intérieur, l'impression de hauteur extrême créée par les voûtes, le travail sur la charpente et les grandes ouvertures. Ces espaces généreux intègrent harmonieusement les lignes gothiques élevées et la géométrie rationnelle de la Renaissance. Les chapiteaux comprennent des éléments que l'on retrouvera bien plus tard dans le style rococo. Quant aux surfaces nues et dépouillées, elles préfigurent peut-être le modernisme empreint d'histoire d'architectes comme Le Corbusier ou Tadao Ando.

☉ FONDAZIONE GIORGIO CINI

☎ 041 2710219 ; www.cini.it ; **Isola di San Giorgio Maggiore ; visite guidée du monastère adulte/étudiants et senior 12/10 €, prix d'entrée variable pour les expositions ;** ☉ **expositions 10h-18h30 lun-sam, monastère 10h-16h sam et dim ;** ⚓ **San Giorgio**
Vittorio Cini a œuvré en faveur de la culture vénitienne bien avant que les héritières américaines et les milliardaires français s'intéressent à l'art. Évadé de Dachau avec son fils Giorgio, il est revenu à Venise pour sauver l'île de San Giorgio Maggiore qui, en 1949, était dans un profond état de délabrement. La fondation a acheté l'île et l'a transformée en un lieu dévolu à l'art et à la culture maritime. Le centre

d'exposition, récemment aménagé dans l'ancienne école de marine, a accueilli en 2008 une rétrospective consacrée au peintre Giuseppe Santomaso, dans laquelle on pouvait voir notamment la série des *Lettere a Palladio,* des œuvres abstraites représentant des enveloppes aux proportions palladiennes.

☉ GIUDECCA 795

☎ 340 8798327 ; www.giudecca795. com ; Fondamenta San Biagio 795 ; ☉ **expositions 15h30-20h mar-ven, 11h-20h sam-dim ;** ⚓ **Palanca**
Cette galerie expose des œuvres contemporaines aux lignes fortes, marquées par un beau travail de la couleur. Laissez-vous entraîner par les tableaux entièrement rouges de Vito Campanelli

et par les paysages urbains de Guaitamacchi (œuvres graphiques).

☉ CHIESA DEL REDENTORE

☎ 041 5231415 ; Campo del Redentore 194 ; 3 € ou billet Chorus ; ☒ 10h-17h lun-sam, 13h-17h dim ; ⚓ Redentore

Commencée par Palladio en 1577 et achevée par Antonio da Ponte en 1592, cette église d'un blanc éclatant fut construite pour célébrer la fin d'une épidémie de peste. À l'intérieur, les tableaux de Gerolamo Bassano attirent l'œil par leur aspect de velours noir, *L'Ascension* du Tintoret présente les lignes tourmentées si caractéristiques du peintre. Ne passez pas à côté du *Venise reconnaissante libérée de la peste* (1619), dans lequel Paolo Piazza dépeint une ville éloignée du danger par des anges. Le trait simple exprime de façon étonnamment moderne la gratitude et le sentiment de culpabilité habitant celles et ceux qui ont survécu à l'épidémie.

🛍 SHOPPING

🛍 FORTUNY TESSUTI ARTISTICI *Décoration, textiles*

☎ 041 5287697 ; www.fortuny.com ; Fondamenta San Biagio 805 ; ☒ 9h-17h lun-ven ; ⚓ Palanca

Découvrez dans ce showroom les imprimés soyeux dont l'élégance raffinée plongeait Marcel Proust dans des abîmes de nostalgie. Les secrets de la fabrication sont précieusement gardés et ont donné naissance depuis près d'un siècle à plus de 260 motifs.

🍴 SE RESTAURER

🍴 AI TRE SCALINI
Cuisine vénitienne €€

☎ 041 5224790 ; Calle Michelangelo 53c ; ☒ 12h-15h lun et ven, 12h-15h et 19h-22h mar-mer et sam-dim ; ⚓ Zitelle

Pâtes, poisson et fruits de mer sont servis en de généreuses portions et s'accompagnent de pichets de vin tiré au tonneau. Le week-end, on se rassemble en famille ou entre amis pour déjeuner dans le jardin.

Chiesa del Redentore

Davide Amadio
*Violoncelliste des Interpreti Veneziani (p. 56), dont le fan-club
n'a rien à envier à celui d'une rock star*

Poisson et art Il y a vingt ans, la Giudecca était un quartier de pêcheurs. Il y a
aujourd'hui des galeries, des théâtres, des musiciens… et toujours du poisson !
Musique baroque et musique punk Peur, passion, violence : les compositeurs
baroques éprouvaient les mêmes émotions que nous. On peut jouer sagement
ou se montrer fidèle à l'âme de leur œuvre. **Jouer sur un instrument de 1787**
Ce violoncelle a été fait pour les églises vénitiennes, leur taux d'humidité parfait
et leur acoustique généreuse. Lorsque nous sommes en tournée, le bois sèche,
se contracte, et je dois modifier mon jeu pour obtenir le bon son. **La bande sonore
des œuvres du Tintoret** C'est un immense privilège – et un sacré défi – de jouer
dans la Scuola Grande di San Rocco [p. 86]. Entourés de ces chefs-d'œuvre, il nous
faut déployer de grands moyens pour ramener le public au moment présent.
Mais cette coexistence est un peu une constante à Venise, non ?

Envie d'un coin romantique ? Dirigez vos pas vers I Figli delle Stelle

🍴 AL PONTIL DEA GIUDECCA
Cuisine vénitienne €€
☎ **041 5286985 ; Calle Redentore 197a ;**
🕑 **12h-15h30 lun-ven ; 🚢 Redentore**
Un peu comme un déjeuner chez
votre grand-mère : les plats du jour
sont succulents et, à la fin du repas,
vous aurez envie de vous lever pour
desservir la table et ranger la cuisine.

🍴 HARRY'S DOLCI
*Nouvelle cuisine vénitienne,
pâtisseries* €€€
☎ **041 5285777 ; www.cipriani.com ;**
Fondamenta San Biagio 773 ; 🕑 **10h30-
23h mer-lun avr-oct ; 🚢 Palanca**
Service discret et cadre rétro
pour cette adresse très branchée.

Certes, les prix ne prennent pas de
retard sur l'inflation – comptez 15 €
pour un café et un dessert (*dolce*)
maison –, mais on peut aussi rester
des heures ici : avec la vue sur les
Zattere, le canal, le soleil et la divine
tarte au citron, pourquoi se presser ?

🍴 I FIGLI DELLE STELLE
Nouvelle cuisine vénitienne €€
☎ **041 5230004 ; www.ifiglidellestelle.
it ; Fondamente delle Zitelle 70 ;**
🕑 **12h30-14h30 et 19h-23h mar-sam ;
🚢 Zitelle**
Dans un cadre des plus romantiques,
Luigi, le chef, allie les textures
onctueuses et la réconfortante
rusticité de la cuisine des Pouilles,
région où il est né, à une subtilité

toute vénitienne. Le simple velouté de fèves accompagné de chicorée et de tomates fraîches excite furieusement les papilles, tout comme l'assortiment de poissons grillés pour deux (langoustines, sole et sardines, au sel de mer des Pouilles). La carte compte de nombreux plats à moins de 10 €. Réservez une table sur le canal pour profiter de la vue sur San Marco, à moins que vous ne préfériez les canapés de cuir à l'intérieur.

SORTIR

BAUER PALLADIO SPA *Spa*
☎ 041 5207022 ; www.palladiohotelspa.com ; Fondamenta della Croce 33 ;
🛕 Zitelle

Lorsque vous ressentirez le besoin impérieux d'un peu de sérénité, d'une architecture exaltante et d'un bon décrassage, filez jusqu'à cet ancien couvent palladien pour y

profiter d'un bain de lait, de miel et de pétales de roses (90 € accès au Jacuzzi et au hammam de marbre inclus).

TEATRO JUNGHANS *Théâtre*
☎ 041 2411974 ; www.teatrojunghans.it ; Campo Junghans 494b ;
🛕 Redentore

Le dépôt de munitions de la Giudecca a été habilement transformé en un théâtre dernier cri, où les spectacles expérimentaux se terminent sous les applaudissements nourris des 150 personnes que peut accueillir la salle. Surnommé Il Formaggino (le fromage) du fait de sa forme triangulaire, le Teatro Junghans est aussi l'endroit où venir assister à des performances entre les Biennales et où participer à des ateliers sur la création des costumes, le travail du masque et la *commedia dell'arte*.

>LIDO

C'est à cette île formant une barrière de 12 km entre Venise et la mer Adriatique que s'amarraient jadis les navires en escale. À l'aube du XXe siècle, le Lido devint la résidence d'été des Vénitiens privilégiés fuyant les ruelles sombres et les relents malodorants des canaux de la ville : villas et hôtels Art nouveau surgirent un peu partout et les plages se retrouvèrent du jour au lendemain colonisées par des élégantes coiffées de grands chapeaux et posant devant les cabines. C'est là que Thomas Mann situa son roman culte *La Mort à Venise*. Aujourd'hui, les foules envahissent les plages lors des belles journées d'été et les stars s'y donnent rendez-vous à l'occasion de la Mostra Internazionale d'Arte Cinematografica (Festival international du film de Venise), qui se tient au Palazzo del Cinema. Après plusieurs jours dans une Venise sans voitures, le retour à la circulation automobile peut s'avérer douloureux ; mais la meilleure manière de se déplacer ici reste le vélo ou bien la marche à pied.

LIDO

⊙ VOIR

🍽 SE RESTAURER

🍸 PRENDRE UN VERRE

⭐ SORTIR

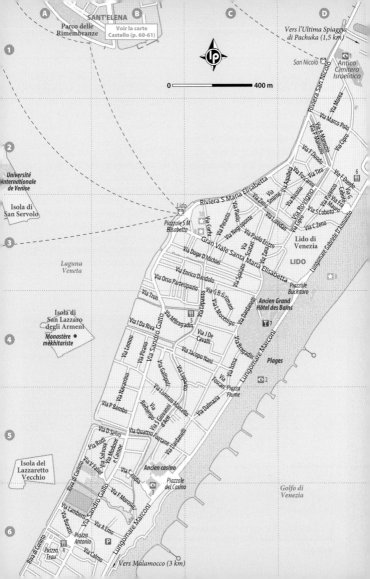

◐ VOIR

◐ ANTICO CIMITERO ISRAELITICO

Ancien cimetière juif ; ☎ 041 715359 ; www.museoebraico.it ; adulte/étudiant et Venice Card 8,50/7 € ; ☽ visite guidée (italien ou anglais) seulement sur réservation ; ▲ San Nicolò
Principal cimetière juif de Venise de 1386 jusqu'au XVIIIe siècle, ce paisible jardin envahi par la végétation renferme des tombes de tous styles. Certaines portent par exemple la marque du gothique vénitien, tandis que d'autres revendiquent de claires influences ottomanes. Le Museo Ebraico di Venezia (p. 75) propose des visites d'une heure permettant d'en savoir plus sur ceux qui sont enterrés ici et sur leur époque. Rendez-vous devant l'entrée du cimetière.

◐ PLAGES

Consigne/chaise longue/parasol et chaise longue/cabine 5/6/11/17 € ; ☽ 9h30-19h mai-sept ; ▲ Lido
Chaises longues et maîtres-nageurs bronzés se trouvent à un quart d'heure seulement des églises, musées, palais et ruelles de Venise. Attention, les plages du Lido sont payantes. Les tarifs indiqués ci-dessus baissent après 14h. Pour éviter la foule (et le droit d'entrée), louez un vélo et

Entre deux visites, autorisez-vous une pause farniente sur les plages du Lido.

UNE RÉCEPTION ROYALE

Les organisateurs de soirées se sont surpassés à l'occasion de la visite, en 1574, du jeune Henri III, nouveau roi de France. Tandis qu'il approchait de Venise à bord d'un navire royal propulsé par 400 rameurs, des souffleurs de verre, afin de le distraire, exerçaient leur art sur les embarcations qui l'escortaient. À son arrivée, le roi fut accueilli par un essaim de beautés vénitiennes vêtues de blanc et arborant parures et bijoux dans de profonds décolletés. On servit ensuite le dîner : 1 200 plats, dit-on, et 300 pièces de confiserie en sucre filé. Quant au comité chargé de la décoration, il était composé – excusez du peu – d'Andrea Palladio, de Véronèse et du Tintoret, qui réalisèrent pour l'occasion des arcs de triomphe.

pédalez vers le sud, où des plages plus préservées et bien moins fréquentées vous attendent – celle d'Alberoni par exemple.

🅒 MALAMOCCO

Hors carte p. 133 ; 🚊 Lido
Capitale de la lagune de 742 à 811, ce bourg parcouru d'innombrables canaux à des allures de petite Venise – en moins enthousiasmant tout de même. Traversez le Ponte di Borge pour explorer les quelques rues, places, églises, palais ou vous arrêter dans une des *osterie* (bars-restaurants).

🅒 PALAZZO DEL CINEMA

🚊 Lido
Si ce bâtiment n'est pas vraiment glamour sous ses allures de terminal d'aéroport, ses murs blancs constituent l'arrière-plan idéal pour les tapis rouges et le bronzage des stars venues participer à la Mostra (voir p. 18). Si vous voulez le voir, dépêchez-vous,

car ce symbole de l'architecture fasciste pourrait se voir bientôt remplacé par un multiplexe.

🍴 SE RESTAURER

🍴 DA TIZIANO

Cicheti, pizza €
☎ 041 5267291 ; **Via Sandro Gallo 96 ;**
🕑 **12h-15h et 19h-22h mar-dim ;**
🚊 Lido
Un établissement très local, à proximité du Palazzo del Cinema, où les habitués viennent déguster de bons *cicheti* et des pizzas correctes, le tout à des prix plus que raisonnables.

🍴 TRATTORIA ANDRI

Cuisine vénitienne €€€
☎ 041 5265482 ; **Via Lepanto 21 ;**
🕑 **13h30-16h mer-dim ; 🚊 Lido**
Faites une pause dans votre bain de soleil et venez tranquillement déjeuner au bord du canal. La carte met à l'honneur les produits de la mer préparés très simplement :

LE LIDO À VÉLO

Le vélo est idéal pour découvrir le Lido. Juste à côté de l'arrêt du *vaporetto*, **Lido on Bike** (☎ 041 5268019 ; www.lidoonbike.it ; Gran Viale 21b ; vélo/tandem/cycle double/ cycle famille 3/6/7/14 € l'heure, vélo/tandem 10/18 € la journée ; ⏱ 9h-19h mars-oct ; 🚋 Lido) pratique des tarifs raisonnables et fournit une carte gratuitement. Il faut avoir au minimum 18 ans pour louer un vélo (pièce d'identité exigée). Le mieux est de prendre un vélo pour la journée entière, afin de ne pas être pressé par le temps et perdre ainsi tout l'intérêt de la balade…

Voici une boucle facile de deux heures. Démarrez à l'arrêt du *vaporetto* et prenez en direction du sud le Lungomare Guglielmo Marconi, une avenue en front de mer bordée d'arbres. Vous arriverez 3 km plus loin à Malamocco (p. 135), sorte de Venise en miniature à explorer en prenant garde à la circulation, car, après plusieurs jours dans des rues sans voitures, on oublie facilement les impératifs liés au trafic… Reprenez le Lungomare Guglielmo Marconi en sens inverse, n'oubliez pas de faire quelques pauses pour manger une glace et admirer la plage, et piquez à gauche dans la Via Quattro Fontane après le Palazzo del Cinema (p. 135). Prenez à droite le long du canal par la Via S Giovanni d'Acri, qui débouche dans la Via Lepanto, toute en courbes. Arrêtez-vous pour déjeuner à la Trattoria Andri (p. 135), ou bien empruntez le Gran Viale Santa Maria Elisabetta afin de rejoindre l'Aurora Beach Club (ci-contre) et de vous affaler sur la plage.

salade de crevettes, poissons grillés et *fritto misto* (assortiment de poissons frits), à accompagner d'un vin – à prix abordable – et d'un sorbet maison.

🍴 TRATTORIA LA FAVORITA
Cuisine vénitienne €€
☎ 041 5261626 ; Via Francesco Duodo 33 ; ⏱ 18h-22h mar, 12h-15h30 et 19h30-23h mer-ven, fermé jan à mi-fév ; 🚋 Lido
Gnochetti d'araignée de mer, risotto de poisson et assortiment de poissons crus, le tout à des prix qui n'ont rien d'hollywoodiens : La Favorita est digne de son nom.

Mieux vaut réserver, car le gratin du cinéma apprécie les tables du jardin planté de glycine – et fréquenté par d'innombrables oiseaux dont le pépiement plus fort que les sonneries des téléphones portables.

🍸 PRENDRE UN VERRE
🍸 COLONY BAR
Lounge
☎ 041 5265921 ; desbainsvenezia. com ; Hôtel des Bains, Lungomare Gugliemo Marconi 17 ; ⏱ 9h-1h mai-oct ; 🚋 Lido

Installé dans cette véranda style Art déco protégée par des pins, sirotez un cocktail auprès des stars. Il vous en coûtera au minimum le même prix que la location d'une cabine de plage pour la journée, mais au moins profiterez-vous du cinq-étoiles – service révérencieux, carte haut de gamme et accès Wi-Fi – sans payer le prix d'une chambre.

SORTIR

⭐ AURORA BEACH CLUB
Beach-club, night-club
☎ 041 5268013 ; www.aurora.st ; **Lungomare Gabriele D'Annunzio 20x** ; 🕑 **8h30-2h mai-sept ;** 🔱 **Lido**
Les journées et les nuits s'enchaînent sans que l'on n'y prenne garde dans ce lieu ouvert récemment, au gré des activités proposées : livres et magazines à disposition, terrains de jeux, espaces de détente, concerts et Dj, bars à cocktails, cinéma en plein air…

⭐ MULTISALA ASTRA *Cinéma*
☎ 041 5265736 ; **Via Corfu 9 ; adulte/étudiant/senior 7/5 € ;** 🕑 **séances 17h30-22h ;** 🔱 **Lido**
Dès que vous sentez la brûlure du soleil sur votre peau, réfugiez-vous dans une salle obscure et climatisée. La programmation allie films d'art et d'essai et grosses productions.

⭐ ULTIMA SPIAGGIA DI PACHUKA
Beach-club, night-club
Hors carte p. 133 ; ☎ 348 3968466 ; **Viale V Klinger, Spiaggia San Nicolò ; prix d'entrée variable ;** 🕑 **12h-22h dim-jeu, 12h-2h ven-sam mai-sept ;** 🔱 **San Nicolò**
Le sable du Lido, combiné à l'ambiance détendue et élégante des Zattere avec, en prime, bière, pizza et tout l'espace nécessaire entre les parasols pour l'expression de ses talents artistiques. Concert à 22h le vendredi, soirée DJ le samedi, et salsa le dimanche.

>LES ÎLES DE LA LAGUNE

Là où d'autres villes s'étirent en d'interminables faubourgs peuplés de centres commerciaux, Venise a sa lagune bleu turquoise, ponctuée d'îles pittoresques. Se trouvent ainsi à seulement quelques minutes de bateau une ancienne capitale byzantine, le centre de l'artisanat du verre, des couvents désaffectés ou encore des îles-jardins. Les amateurs de shopping fileront en *vaporetto* à Murano pour admirer les pièces de verre produites en série limitée selon des techniques utilisées depuis le VIIIe siècle. Les rêveurs passeront plutôt la journée à naviguer tranquillement sur la lagune pour observer les cigognes qui se balancent pensivement sur une patte et les cormorans qui se sèchent les ailes après leur repas de poisson. Les gourmands prendront le chemin de Burano, une île de pêcheurs aux jolies maisons très colorées, pour se régaler des produits de la mer. Pour achever cette escapade en beauté : les mosaïques dorées de la cathédrale Santa Maria Assunta de Torcello éblouiront les amateurs d'art et les autres !

À Murano (p. 141), laissez-vous éclairer sur l'art des verriers

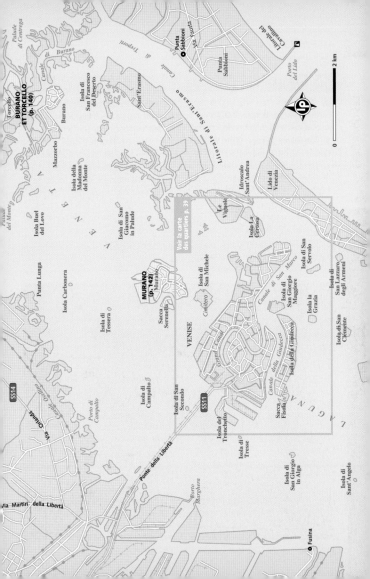

Voir la carte des quartiers p. 39

Palude di Cenesega

Palude di Monte

Torcello

BURANO ET TORCELLO (p. 140)

Mazzorbo

Burano

Isola di San Francesco del Deserto

Sant'Erasmo

Isola della Madonna del Monte

Isola Buel del Lovo

Isola di San Giacomo in Palude

Punta Lunga

Isola Carbonera

Isola di Tessera

MURANO (p. 142)

Murano

Sacca Serenella

Cimitero

Isola di San Michele

VENISE

Isola di Campalto

Isola di San Secondo

Canale di San Marco

Isola di San Giorgio Maggiore

Isola la Grazia

Isola di San Clemente

Isola di San Servolo

Isola di San Lazzaro degli Armeni

Le Vignole

Isola La Certosa

Idroscalo Sant'Andrea

Lido di Venezia

Porto del Lido

Litorale del Cavallino

Punta Sabbioni

Via Fausta

Punta Sabbioni

Canale di Treporti

Litorale e la di Sant'Erasmo

Canale di San Marco

Canale della Giudecca

Isola della Giudecca

Sacca Fisola

Isola del Tronchetto

Isola di Tresse

Ponte della Libertà

Porto Marghera

Canale Osellino

Via Olanda

Via Martiri della Libertà

Fusina

Porto di Campalto

Isola di San Giorgio in Alga

Isola di Sant'Angelo

LAGUNA

VENEZIA

Canale di Burano

2 km

0

SS14

SS11

N

VOIR

BURANO

Carte p. 140 ; 🚤 Burano, Mazzorbo
À seulement 40 minutes de *vaporetto*
de San Marco, la charmante île
de Burano offre un répit coloré
au visiteur guetté par l'overdose
de splendeurs gothiques…
On confectionne ici des biscuits
sablés légèrement citronnés,
en forme d'anneau ou de S,
absolument délicieux lorsqu'on
les trempe dans un verre de vin
sucré. Mais la petite île de Burano
est aussi connue pour sa dentelle.

Pourtant, au moment de la rédaction
de ce guide, le Museo di Merletto
était fermé pour restauration, et une
bonne partie des dentelles vendues
dans les boutiques venaient
de l'étranger ! Vérifiez donc
l'authenticité des produits avant tout
achat. Lorsque débarquent
les groupes en excursion "dentelle",
traversez le pont de bois et gagnez
l'île voisine de Mazzorbo, où vous
trouverez de l'espace, de la verdure,
un terrain de jeux et même
des toilettes publiques installées
dans l'abside d'une ancienne
chapelle ! Voir aussi p. 24.

BURANO ET TORCELLO

VENISE EN BATEAU

Découvrez Venise comme les Vénitiens la parcourent depuis des siècles : en bateau. Par-delà les courts trajets en gondole ou en *vaporetto*, tentez de nouvelles aventures maritimes sur des embarcations vénitiennes traditionnelles. N'oubliez pas de réserver, de prendre votre crème solaire et de vérifier la météo.

> **Ramez comme un gondolier** avec Jane Caporal (p. 143) de **Row Venice** (☎ 345 2415266 ; www.rowvenice.com ; 2 heures de cours à partir de 40 €). Quittez le plancher des vaches et trouvez votre équilibre sur l'étincelante lagune avec Jane, qui vous montrera comment propulser son *sandolo*, embarcation artisanale à fond plat, debout avec une seule rame. Glissez le long de l'Isola di San Michele, l'île cimetière, et faites une pause pique-nique avant de vous installer à la poupe pour apprendre à ramer en chantant, façon gondolier.

> **Mettez les voiles** avec **Laguna Eco Adventures** (☎ 329 7226289 ; www. lagunaecoadventures.com ; sortie 40-120 €) dans une *sampierota* vénitienne, bateau à deux voiles suffisamment petit pour passer dans les canaux mais assez robuste pour affronter le large. À bord, cinq personnes maximum, dont vous, pour profiter tranquillement des mouettes et du vent. Les sorties proposées vont d'un circuit des îles extérieures à une balade tranquille sur les canaux au coucher du soleil.

> **Allez jusqu'au bout de la lagune** avec **Terra e Acqua** (☎ 347 4205004 ; www. terraeacqua.com ; sortie 70-120 € déjeuner compris). Embarquez avec Cristina della Toffola dans son solide *bragosso* (barge vénitienne accueillant jusqu'à dix passagers). Les circuits qu'elle propose peuvent comprendre Burano, Torcello, mais aussi les îles où les malades de la peste étaient placés en quarantaine, des séances de pêche et d'observation des oiseaux. C'est une vraie mine d'informations sur l'écologie de la lagune et son histoire. À midi, elle mouillera au large d'une jolie île et vous servira un délicieux ragoût de poisson accompagné d'un *spritz* (cocktail à base de *prosecco*).

◎ MURANO

Sur cette petite île, entrepôts de brique et cheminées d'usine dissimulent la vibrante créativité des artistes verriers, cachés dans leurs ateliers. En se promenant le long des canaux, on entend le souffle inquiétant des fours, et il ne reste plus qu'à suivre les lumières rougeoyantes pour aboutir dans un atelier et observer les artisans à l'œuvre. Les amateurs trouveront des pièces originales dans les boutiques, à des prix… soufflants.

◎ MURANO COLLEZIONI

Carte p. 142 ; ☎ 041 736272 ; www. muranocollezioni.com ; Fondamenta Manin 1c-d ; ⏱ 10h-17h mar-dim ; 🚊 Colonna

MURANO

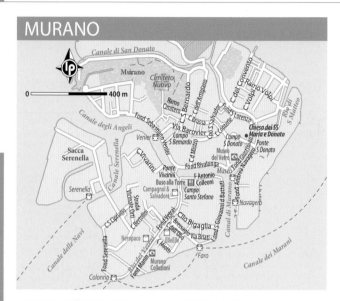

Les Murano Collezioni sont installés dans un entrepôt de brique. Des pièces uniques y sont exposées, joliment posées sur des socles éclairés. Vous pourrez y voir les créations de trois des verriers les plus réputés – Barovier&Toso, Carlo Moretti et Venini. On peut bien sûr venir pour acheter, mais aussi pour le simple plaisir des yeux… tout le monde est bienvenue.

◙ MUSEO DEL VETRO

Musée du Verre ; carte ci-dessus ; ☎ 041 739586 ; www.museicivicivenezia ni.it ;

8 Fondamenta Giustinian ; adulte/6-14 ans, étudiant et senior 6,50/4 €, gratuit avec le Museum pass ou la Venice Card ; ⏱ 10h-18h tlj avr-oct, 10h-17h tlj nov-mar, dernière entrée 30 min avant fermeture ; 🛝 Museo

Il y a quelques siècles, les souffleurs de verre qui quittaient l'île risquaient d'être assassinés s'ils ne révélaient pas leurs procédés de fabrication. Depuis 1861, secrets et méthodes sont dévoilés dans ce musée. Des verres irisés romains du IIIe siècle côtoient des pièces postmodernes – remarquez le vaporisateur créé

Jane Caporal
La gondolière de Row Venice (p. 141)

La touriste conquise Lors de ma première visite avec des amies de mon Perth natal, des étudiants sympas ont proposé de nous montrer la ville. Vous avez deviné la suite : j'ai déménagé il y a 20 ans de ça à Venise, où mon mari, Luigi, et moi élevons nos deux enfants. **Rien à craindre** Quand on rame à la vénitienne, on est certes debout, mais comme on pousse vers l'avant, on a toutes les chances de tomber dans le bateau. À part ça, la profondeur des eaux vénitiennes dépasse rarement 50 cm. D'ordinaire, les gens qui tombent dans la lagune ont souvent pris un *spritz* de trop ! **Championne en herbe** Il m'a fallu quatre ans pour oser, mais la première fois que j'ai ramé sur le Grand Canal, j'ai créé l'événement. J'ai alors voulu que tout le monde sache combien c'était merveilleux ; c'est pourquoi j'ai suivi ma formation de professeur auprès de l'Institut olympique italien (CONI). Pour être une *campionessa* (championne), il faut gagner une des régates de la ville. Pourquoi ne pas essayer ?

par Maria Grazia Rosin en 1992. À l'étage, la fabrication du verre est expliquée en détails, notamment la technique utilisée pour la création des perles de Venise. On peut aussi admirer les pièces extravagantes créées au XVIIe siècle, comme les "verres à ailes", ainsi que la pieuvre réalisée en 1930 par Carlo Scarpa et les *Inutili* de Romano Chirivi (1968), des verres à vin dans lesquels on ne peut boire qu'à la paille…

◉ TORCELLO

Cette île sauvage fut certes à une époque le terrain de chasse favori d'Ernest Hemingway, mais son vrai titre de gloire est d'avoir été un temps la capitale de l'Empire byzantin. Une balade de 10 minutes vous conduira en longeant les parcs à moutons du débarcadère du *vaporetto* à la place centrale, joliment envahie par les herbes, où se trouvent un petit musée et des magasins d'antiquités. C'est toutefois de l'autre côté de la place que se dresse le vrai trésor de l'île, la Cattedrale di Santa Maria Assunta. Voir aussi p. 24.

◉ CATTEDRALE DI SANTA MARIA ASSUNTA

☎ 041 296 0630 ; Piazza Torcello ; église/campanile/église et campanile/ église, campanile et musée 4/4/7,50/10 € ; ⏱ 10h30-18h mars-oct, 10h-17h nov-fév, dernière entrée 30 min avant la fermeture ; 🔔 Torcello

Représentations médiévales de l'enfer, mosaïques de la Cattedrale di Santa Maria Assunta

Les mosaïques de cette église du Moyen Âge devaient marquer les esprits : à l'espérance de la vie éternelle auprès de la Vierge, représentée sur fond d'or dans l'abside, s'oppose la perspective de tomber entre les mains du diable. Si vous avez le temps, montez en haut du campanile (dernière entrée 1 heure avant la fermeture) pour la vue sur la lagune, ou bien allez jeter un œil sur les bronzes de l'époque romaine et les vestiges en pierre de la période byzantine, exposés dans le petit musée de l'autre côté de la place.

🛍 SHOPPING

MURANO

🏠 CAMPAGNOL & SALVADORE *Verre*

☎ 041 736772 ; Fondamenta San Giovanni dei Battuti 8 ; 🕙 10h30-18h lun-sam ; 🚊 Colonna
L'art subtil du verre soufflé exige beaucoup de finesse, qualité à laquelle les créations de Campagnol & Salvadore ajoutent un pétillement joyeux. Leurs colliers de perles aigue-marine et jaune soleil ont l'air faits de minuscules ballons de plage et leurs tasses orange et bordeaux aux volutes hypnotiques semblent tout droit sorties du chapeau d'un prestidigitateur. Leur fini mat et leurs motifs psychédéliques, à la Tim Burton, donnent envie de remplir

son sac des babioles proposées ici. Les designers en herbe sont encouragés à imaginer leurs propres œuvres à partir de perles soufflées non montées (2 à 10 €).

🏠 ELLEELLE *Verrerie*

Carte p. 142 ; ☎ 041 5274866 ; www.elleellemurano.com ; Fondamenta Manin 52 ; 🕙 10h-18h lun-sam ; 🚊 Colonna
Quelle est la marque de fabrique de cette maison installée depuis les années 1950 ? Des formes asymétriques et des combinaisons bicolores originales. La troisième génération de créateurs fabrique actuellement des vases à partir d'une couche de cristal lourd posée sur du verre coloré, créant une impression saisissante de couleur liquide prise dans de la glace. Les prix débutent à 31 € (pour un verre fait à la main et signé), mais, étant donné l'intérêt des musées américains, ils ne devraient pas rester éternellement à un niveau si raisonnable…

🏠 NEROPACO *Verre*

☎ 041 736801 ; Fondamenta Vetrai 58 ; 🕙 10h-18h lun-sam ; 🚊 Colonna
Cette verrerie fabrique d'extraordinaires lustres modernistes de verre soufflé. À partir de pâte de verre aux couleurs marquées – noir luisant, or pâle ou encore mauve alexandrite,

LES QUARTIERS

LES ÎLES DE LA LAGUNE

Kaléidoscope de couleurs sur l'île de Burano (p. 140)

leur signature –, ces maîtres de la lumière d'ambiance créent des lampes hallucinantes qui semblent se transformer, tantôt créatures des abysses, tantôt fleurs intergalactiques. Les lustres de Neropaco sont parmi les moins chers de Murano, et on vous enverra celui de votre choix où vous voudrez.

🍴 SE RESTAURER

BURANO
🍴 TRATTORIA AL GATTO NERO
Cuisine vénitienne €€€
Carte p. 140 ; ☎ 041 730120 ; www.gattonero.com ; Via Giudecca 88 ; ⏱ 12h-15h30 et 19h30-21h30 mar-dim ; 🚢 Burano

Maintenant que gourmets, stars et professionnels du cinéma se sont entichés de ce restaurant excentré, il est indispensable de réserver si l'on veut avoir une chance de goûter les *taglioni* maison à l'araignée de mer, le risotto aux langoustines, le poisson grillé d'une absolue fraîcheur et les biscuits de Burano, parfaitement réussis. Service efficace, même en terrasse : profitez-en pour vous installer au bord du canal.

MURANO
🍴 BUSA ALLA TORRE
Cuisine vénitienne €€
☎ 041 739662 ; Campo Santo Stefano 3 ; ⏱ 11h30-15h30 ; 🚢 Faro

Son menu fixe à 13 € lui vaut un franc succès. Venez tôt pour profiter des tables installées sur la place, sur laquelle donnent des vitrines de verriers, et déguster de piquantes *sarde in saor* (sardines marinées) et des pâtes garnies de belles crevettes bouquets.

TORCELLO
🍴 RISTORANTE AL TRONO DI ATTILA
Cuisine vénitienne €€
☎ 041 730094 ; www.altronodiattila.it ; Fondamenta Borgognoni 7a ; ⏱ 12h-15h30 tlj avr-oct, 12h-15h30 mar-sam nov-mars ; 🚢 Torcello

Bonne chère et prix raisonnables, bref, l'idéal pour une pause déjeuner sur le chemin qui mène du débarcadère du *vaporetto* à la Cattedrale di Santa Maria Assunta. C'est au son de la bucolique bande originale de Torcello, principalement constituée de bêlements, que vous vous relaxerez sous la pergola devant un risotto de la mer et un verre de la cuvée du patron.

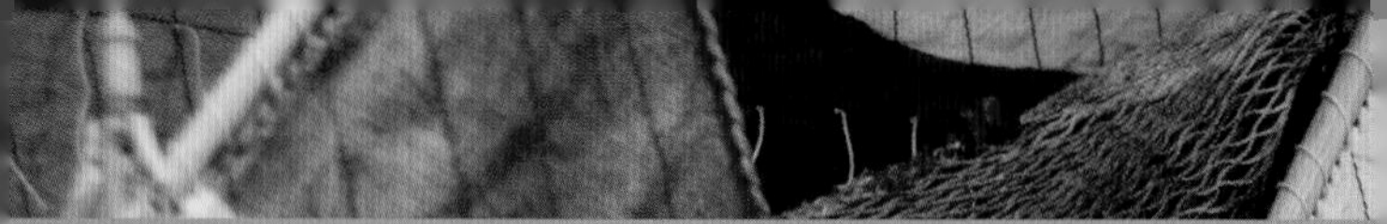

>ZOOM SUR…

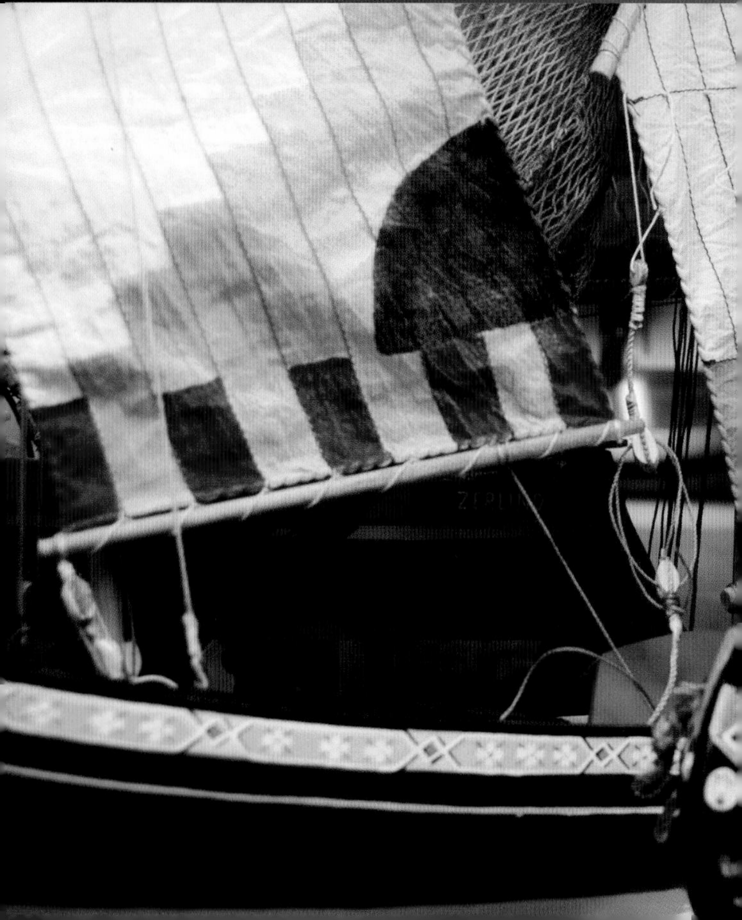

À Venise, le bonheur est souvent au détour d'un pont ou juste à quelques rues de là. Voici néanmoins quelques bonnes idées et adresses.

Les maquettes de Gilberto Penzo (p. 88) : des gondoles à emporter chez soi

GRAND CANAL

Le Grand Canal porte bien son nom : avec 50 palais, 6 églises, 4 ponts, 2 marchés en plein air et une magnifique prison (du moins de l'extérieur), sans oublier le décor de quatre films de James Bond, il est à la hauteur de sa réputation. Pour prendre toute la mesure de sa splendeur, remontez-le de nuit, lorsque les embarcadères illuminent l'eau et que les fenêtres des palais révèlent des chandeliers de Murano et des plafonds de Tiepolo.

Votre balade nocturne sera plus romantique encore à bord d'une gondole ou d'une *sampierota* (étroite barque à voile). Les remous provoqués en journée par les *motoschiaffi* (bateaux à moteur) agitent les embarcations plus petites et érodent les *fondamente* (berges) du Grand Canal, à la consternation des Vénitiens et surtout des gondoliers qui rechignent à emprunter le Grand Canal. À moins de disposer d'un yacht et d'une autorisation de filmer (comme Martin Campbell pour *Casino Royale*), le *vaporetto* n°1 est le meilleur moyen d'admirer le Grand Canal de jour. Le billet de *vaporetto*, valable 12 heures, permet de monter et de descendre autant de fois que l'on veut. Depuis la gare, en direction de la place Saint-Marc, repérez les monuments suivants.

À votre droite, l'édifice baroque qui surplombe le canal est la Ca' Pesaro (p. 99). Construit par Baldassare Longhena, ce palais possède une façade en marbre reconnaissable à ses profondes arches doubles. Il abrite la Galleria d'Arte Moderna et le Museo Orientale.

Le *vaporetto* s'arrête ensuite sur la gauche, devant la Ca' d'Oro (p. 71), un bel exemple de gothique vénitien avec ses deux étages d'arcades ajourées et décorées comme des dentelles. Reine de beauté, cette superbe demeure est coiffée d'une fine couronne sculptée. Descendez ici pour voir le splendide *Saint Sébastien* d'Andrea Mantegna.

Si vous faites cette balade le matin, vous entendrez les bruits des marchés de fruits et légumes du Rialto (p. 94) et même ceux du marché couvert de la Pescheria (p. 94) avant de les voir apparaître, sur votre droite. Les poissonniers et les marchands vantant leurs poissons du jour et leurs artichauts en dialecte vénitien vous donnent faim ? Alors descendez ! Le *vaporetto* passe ensuite sous le Ponte di Rialto (p. 86), où les touristes penchés au-dessus du parapet pour prendre des photos ressemblent à des gargouilles.

Au tournant suivant apparaît à droite la splendide Ca' Rezzonico (p. 109). Longhena la dota de deux niveaux de somptueuses fenêtres en arcades qui illuminent naturellement les plafonds peints par Tiepolo à l'intérieur. Descendez du *vaporetto* pour faire le plein d'art baroque dans ce musée.

De l'autre côté du canal se dresse le Palazzo Grassi (p. 47), récemment ramené à la vie par le milliardaire François Pinault et l'architecte minimaliste Tadao Ando. Devant l'édifice, sur l'embarcadère, sont installées des œuvres controversées d'art contemporain comme le crâne géant de Subodh Gupta, fait de casseroles. Pour visiter la dernière exposition, descendez à l'arrêt suivant, Ponte dell'Accademia (p. 113).

Sur la rive droite se trouve le modeste palais de la collection Peggy Guggenheim (p. 113). Une statue d'Alexander Calder jouxte l'embarcadère, et l'on peut distinguer, entre les buissons, *L'Ange de la ville* (1948), de Marino Marini, figure nue sur un cheval. Pour l'observer de plus près, l'arrêt de *vaporetto* suivant se situe en face de la Chiesa di Santa Maria della Salute (p. 109). Auréolée d'un certain mystère, cette église étrangement octogonale évoque un temple romain et contient des œuvres précoces de Titien. Juste à côté, la Punta della Dogana (p. 114) est un ancien entrepôt des douanes, transformé en espace d'exposition par l'architecte japonais Tadao Ando.

Votre découverte du Grand Canal s'achève près de la place Saint-Marc, à l'arrêt San Zaccaria. Longez le palais des Doges (p. 45) à votre gauche et entrez dans les Prigioni Nuove (nouvelles prisons) juste à temps pour le concert de musique de chambre (p. 69).

En haut à gauche Vue depuis le Ponte dell'Accademia (p. 113)

CUISINE

Les chefs vénitiens ne jurent que par les produits locaux. Il faut dire que la ville est entourée d'îles couvertes de vergers et d'une lagune pleine de poissons… Venise possède des spécialités locales inconnues du continent : les ingrédients sont servis frais, le jour même, dans les bars et les restaurants de la ville. Et c'est grâce à son esprit cosmopolite que Venise a toujours su rester à l'avant-garde des modes culinaires. Les cuisiniers vénitiens ont élevé au rang d'art certains plats traditionnels comme les *sarde in saor* (sardines marinées aux oignons) et la *baccalà mantecato* (brandade de morue à l'ail et au persil). Des plats qu'ils réinventent en permanence en s'inspirant de toutes les saveurs qui parvenaient à Venise par la route des épices. Quelques ingrédients venus d'autres régions de l'Italie s'imposent parfois, comme les filets de bœuf toscan et les oranges sanguines de Sicile, mais toujours avec modération.

On trouve toujours une place au bar pour picorer de délicieux *cicheti* (tapas vénitiennes) et les restaurants préparent des dîners mémorables. Découragés par les rumeurs affirmant qu'il est impossible de bien manger pour pas cher à Venise, certains touristes se contentent d'une part de pizza sur la place Saint-Marc. S'ils savaient que, pour le même prix, ils peuvent s'offrir des *crostini* aux crevettes et aux artichauts grillés, ou un tartare de thon aux fraises des bois…

Si l'on sait où chercher, Venise est un paradis pour gourmands. Méfiez-vous des restaurants dont la carte indique certains plats *surgelati* (surgelés). Les lasagnes, les spaghettis à la bolognaise et les pizzas ne sont pas d'origine vénitienne : les pièges à touristes sont presque les seuls à proposer les trois. Préférez les établissements sans carte ou dont le menu a été griffonné en hâte à la craie ou imprimé exclusivement en italien. Cela indique que le chef adapte ses plats en fonction des ingrédients trouvés sur le marché.

Les meilleurs plats sont parfois pris debout au bar, vers 18h30, à l'heure des *cicheti*. Toutefois, n'hésitez pas à vous offrir une bonne table avant votre départ, dans une discrète *osteria* ou dans un restaurant au bord du canal. Pour gagner la sympathie du serveur et du chef, quelques conseils :

Ignorez la carte. Demandez conseil au serveur sur les plats de saison et les spécialités de la maison. Choisissez-en deux puis laissez-lui le choix. Fermez la carte d'un coup sec et dites *"Allora, facciamo cosi, per favore !"* ("Bon, on fait comme ça, s'il vous plaît !"). Le garçon sera ravi et le chef, flatté.

Choisissez des vins régionaux. L'eau minérale n'est en rien nécessaire (l'eau du robinet se dit *acqua al rubinetto*), mais un bon repas appelle du vin, souvent servi au verre ou à la demi-bouteille. Si son nom ne vous dit rien, pas de panique : les petits domaines les plus intéressants vendent leurs productions aux restaurants de la cité et ne sont pas exportés.

N'assaisonnez pas vos primi (entrées). Vous constaterez le soulagement du serveur. Les pâtes aux fruits de mer sont suffisamment riches et savoureuses, ne les noyez pas sous une montagne de parmesan ou de sauce épicée.

Optez pour des fruits de mer locaux. Rien ne vous oblige à commander une entrée ou un *secondo piatto* (plat principal). Mais sachez que le talent d'un chef vénitien se juge à ses entrées de poissons et à sa *frittura* (fruits de mer frits). Goûtez-les d'abord sans citron : les Vénitiens affirment que leur goût délicat s'accorde mieux à un peu de sel et de poivre.

LES MEILLEURES ADRESSES DE…

… "CICHETI"
> All'Arco (p. 91)
> I Rusteghi (p. 55)
> Alla Vedova (p. 77)
> Pronto Pesce Pronto (p. 94)
> Dai Zemei (p. 92)

… NOUVELLE CUISINE VÉNITIENNE
> Al Fontego dei Pescatori (p. 75)
> I Figli delle Stelle (p. 130)
> Trattoria Corte Sconta (p. 68)
> Sangal (p. 54)
> Il Ridotto (p. 67)

… CUISINE VÉNITIENNE TRADITIONNELLE
> Al Covo (p. 66)
> Ristoteca Oniga (p. 121)
> Trattoria al Gatto Nero (p. 145)
> Vini da Gigio (p. 79)
> Vecio Fritolin (p. 106)

… SPÉCIALITÉS
> Glaces : Alaska Gelateria (p. 104)
> Viande : Ristorante La Bitta (p. 120)
> Végétarien : Osteria La Zucca (p. 105)
> Pâtisseries : Zenzero (p. 68)
> *Panini* : Snack Bar ai Nomboli (p. 95)

ARCHITECTURE

L'architecture de Venise est un perpétuel sujet d'émerveillement. Les édifices que l'on peut aujourd'hui admirer, fruits d'une histoire cosmopolite, couvrent toutes les époques, du byzantin de la Cattedrale di Santa Maria Assunta (Torcello, p. 144), construite du VIIe au IXe siècle, au modernisme de Tadao Ando, qui vient de réaménager les bâtiments des douanes de la Punta della Dogana (p. 114). Indéfinissable et à mi-chemin de l'Orient et de l'Occident, la basilique Saint-Marc (p. 41) rassemble presque tous les styles, du byzantin de Constantinople au néo-Renaissance du XIXe siècle. Dans le style gothique, I Frari (p. 84), Zanipolo (p. 64) et la Chiesa della Madonna dell'Orto (p. 74) sont plus austères que leurs contemporains français. Avec Jacopo Sansovino (1486-1570) et Andrea Palladio (1508-1580), la Renaissance vénitienne donna naissance à un genre conciliant géométrie classique et sens très baroque de l'espace intérieur, comme l'illustrent la Chiesa di San Giorgio Maggiore (p. 126) et Il Redentore (p. 128). Et lorsque les règles du classicisme commencèrent à se figer, Baldassare Longhena (1598-1682) bouleversa le baroque du XVIIe siècle avec sa Chiesa di Santa Maria della Salute (p. 109).

Chacun affectionne plus particulièrement un genre dans l'échiquier architectural qu'est Venise. Le critique d'art John Ruskin s'enthousiasmait pour le gothique byzantin de la basilique Saint-Marc et détestait Palladio et sa Chiesa di San Giorgio Maggiore. Les palladiens méprisaient le rococo. Les fans du rococo de la Ca' Rezzonico étaient outrés par le style Art nouveau (Liberty en italien) du Lido.

Tout le monde fut en revanche horrifié par les projets de destruction en faveur de l'industrie. Après que les édifices baroques de la Giudecca eurent laissé place à des usines, il fallut des décennies à la ville pour s'en remettre. Les architectes se réfugièrent dans le style dit *venezianitá*, qui empruntait des éléments à diverses périodes, associant par exemple trèfles gothiques et coupoles baroques sur un même édifice. Certains y virent même la fin de l'architecture vénitienne…

Les inondations de 1966 provoquèrent une prise de conscience face à la menace de voir le patrimoine architectural vénitien condamné. Surmontant leurs désaccords, des soutiens du monde entier se manifestèrent pour porter secours aux palais et renforcer les fondations de la cité. Ces efforts ainsi que le postmodernisme marquèrent l'avènement d'idées nouvelles. Les architectes, plutôt que d'éliminer un genre ou de camoufler les différences, utilisèrent ainsi des techniques modernes pour remettre en valeur l'héritage vénitien de manière créative. C'est ainsi que la Fondazione Giorgio Cini convertit une académie navale en galerie d'art, et que Tadao Ando a transformé les bâtiments des douanes de la Punta della Dogana en un espace d'exposition d'art contemporain.

LES PLUS BEAUX MONUMENTS

LES PLUS BEAUX ÉDIFICES MODERNES

En haut à gauche Le gothique flamboyant du palais des Doges (p. 45) **Ci-dessus** Les proportions parfaites de Santa Maria della Salute (p. 109)

ARTISANAT

Difficile de décrire les souvenirs rapportés de Venise sans avoir l'air de se vanter. "C'est une pièce originale", direz-vous, "j'ai même rencontré l'artisan." Disparues ou cristallisées en reliques d'un passé révolu dans le reste du monde industrialisé, les traditions artisanales vénitiennes sont demeurées bien vivantes, innovantes et étonnamment accessibles.

Des astucieux journaux de voyage (12 €) ou cahiers de recettes de cuisine en papier marbré (*carta marmorizzata*) aux chaussures en cuir fabriquées sur mesure (200 €), les artisans vénitiens vendent leurs créations à des prix raisonnables et même comparables à certains articles de marque fabriqués en série. Le sac le plus branché des rues parisiennes vous semblera peut-être bien fade à côté des bourses vénitiennes faites en papier marbré ou dans de magnifiques velours imprimés, et les bijoux en verre de Murano soutiennent facilement la comparaison avec les joyaux des plus grands bijoutiers.

Comment dénicher les meilleures affaires ? D'abord, il faut savoir où chercher : explorez les ruelles de San Polo, Santa Croce, Dorsoduro, San Marco, Castello et Murano. Les ateliers et salles d'expositions des artisans locaux sont souvent rassemblés dans un même quartier. Les vitrines remplies de verreries et d'objets fragiles indiquent parfois *Non Toccare* (Ne pas toucher). Pour éviter les accidents, demandez simplement à voir ce qui vous intéresse de plus près. La personne qui tient la boutique est souvent l'artisan lui-même, alors ne soyez pas avare de compliments (*"Complimenti !"*). À l'heure de l'uniformisation, l'artisanat traditionnel vénitien mérite votre estime.

LES OBJETS LES PLUS ORIGINAUX

> Sacs à main en papier chez Carté (p. 87)
> Boucles d'oreille émaillées en forme de crâne chez Sigfrido Cipolata (p. 66)
> Masques de médecin de la peste à la Pietra Filosofale (p. 50)
> Proue de gondoles chez Ervas (p. 103)
> Bracelets en anémone de mer chez Gualti (p. 117)

LES PLUS BELLES VERRERIES

> Colliers en perles de verre chez Marina e Susanna Sent (p. 118)
> Moustiques en verre chez I Vetri a Lume di Amadi (p. 89)
> Vases en cristal chez ElleElle (p. 145)
> Collier de larmes en verre chez Esperienze (p. 49)
> Colliers de perles aigue-marine et jaune chez Campagnol & Salvadore (p. 145)

MUSIQUE ET OPÉRA

Si la Sérénissime possédait déjà des musiciens officiels et une musique profane à l'apogée de sa puissance, c'est seulement quand son déclin s'amorça, aux XVIIe et XVIIIe siècles, que la musique vénitienne prit toute son ampleur. Avec des profits commerciaux en baisse, l'État eut l'idée, d'assurer l'éducation musicale des orphelins. L'investissement s'avéra extraordinairement lucratif. En effet, les visiteurs de passage dans la ville témoignèrent de l'immense talent des enfants, et Venise, considérée dès lors comme une capitale du divertissement, attira les célébrités et les fortunes du monde entier.

Venise n'avait alors rien à envier aux émissions consacrées à la recherche de nouveaux talents que l'on voit aujourd'hui à la télévision. Ainsi, Monteverdi, père de l'opéra moderne, fut nommé en 1613 chef d'orchestre de la basilique Saint-Marc. De même, l'un des maîtres embauchés pour diriger les orchestres d'orphelins fut Vivaldi. Il occupa ce poste pendant 30 ans, écrivit des centaines de concertos et contribua à la réputation de la musique vénitienne en Europe.

Il est encore possible d'assister à des concerts donnés dans des conditions semblables à celles de l'époque de Vivaldi, dans des palais, des églises et des *ospedaletti* (orphelinats). Les musiciens jouent sur des instruments d'époque, dans le respect d'une tradition musicale née il y a des siècles.

LES MEILLEURS SALLES ET CONCERTS
> La Fenice (p. 57)
> Musica a Palazzo (p. 56) dans le Palazzo Barbarigo-Minotto
> Les Interpreti Veneziani (p. 56) à San Vidal
> Collegium Ducale (p. 69) aux Prigioni Nuove
> Festival international de musique contemporaine à l'Arsenal (p. 30)

LES MEILLEURS SOUVENIRS MUSICAUX
> Cours de chants au Venitian Club (p. 121)
> Harmonicas et luths chez Mille e Una Nota (p. 89)
> Copies des costumes portés par les divas de La Fenice chez Banco 10 (p. 65)
> CD chez Parole e Musica (p. 65)
> Biographies de Vivaldi à la Libreria Studium (p. 50)

SHOPPING

Les églises et les musées sont bien jolis, mais inutile de se voiler la face : en Italie, on finit toujours par faire les boutiques. Ce n'est pas une raison pour rapporter l'un de ces masques en porcelaine scintillants à coller sur le frigo ou une chemise de gondolier à rayures (qui, portée dans un autre contexte, aura tout de même un certain charme). À Venise, vous pouvez dénicher des articles d'authentiques artisans locaux, réellement uniques en leur genre.

Dans la Via Largo XXII Marzo et dans la Calle dei Fabbri, à San Marco, vous croiserez bien sûr les grands noms de la mode italienne. Mais les plus belles trouvailles et les meilleures affaires vous attendent de l'autre côté du Grand Canal, dans les petites boutiques de San Polo et de Dorsoduro. On peut aussi trouver de vrais trésors sur les marchés en plein air : ravissants médaillons en émail ou véritables pipes de pirates. Vous achèterez un chapeau tout en soutenant une bonne cause dans une boutique de commerce équitable. Enfin, produits alimentaires et vins font de jolis cadeaux.

LE MEILLEUR…
… DE LA MODE
- > Fiorella Gallery (p. 49)
- > Venetia Studium (p. 51)
- > Arnoldo & Battois (p. 48)
- > Ottica Carraro (p. 51)
- > Giovanna Zanella (p. 65)

… DE LA DÉCO
- > Banco 10 (p. 65)
- > Tous les artisans de la ville (voir p. 156)
- > Le Botteghe (p. 50)
- > Aqua Altra (p. 115)
- > Mercato delle pulci (p. 114)

LES MEILLEUR(E)S…
… ANTIQUAIRES
- > Caterina Tognon Arte (p. 44)
- > Jarach Gallery (p. 46)
- > Galleria Traghetto (p. 45)
- > Campiello Ca' Zen (p. 87)
- > Mercatino dei Miracoli (p. 114)

… BOUTIQUES
- > Madera (p. 65)
- > Neropaco (p. 145)
- > Danghyra (p. 115)
- > Bochaleri in Giardini (p. 114)
- > Epicentro (p. 49)

EXPÉRIENCES CÉLESTES

Après quelques jours à flâner dans la cité, la plupart des visiteurs partagent le même sentiment : Venise est vraiment divine. Les hautes arches vénitiennes gothiques et les coupoles des synagogues surmontant les toits s'élèvent vers le ciel. Les musées conservent des chefs-d'œuvre inspirés de thèmes religieux et les anges sont omniprésents dans l'architecture de chaque autel et de chaque *scuola* (confrérie religieuse). Les Vénitiens ayant survécu aux épidémies de peste, aux inondations et aux invasions érigèrent quelque 107 églises et 7 synagogues pour exprimer leur reconnaissance.

Au cours de certaines fêtes, comme la Festa del Redentore (p. 29) et la Festa della Madonna della Salute (p. 30), des pontons formés de bateaux alignés les uns contre les autres sont construits sur les canaux. Au risque de tomber dans l'eau, les Vénitiens les traversent et allument des bougies commémorant la survie de leur cité flottante. Et chaque fête – célébrant un saint ou un événement – est l'occasion de préparer des friandises et de lever son verre à la *bea vita* (belle vie).

Où commencer ? Dans la basilique Saint-Marc (p. 41), évidemment. Le Museo delle Icone (p. 59) et le Museo Ebraico di Venezia (p. 75) montrent aussi la diversité des traditions religieuses vénitiennes. Si des lieux retirés comme la Chiesa di San Giorgio Maggiore (p. 126) sont des havres de dévotion, la foi est également présente dans des institutions plus modestes comme la Chiesa di Santa Maria dei Miracoli (p. 74) ou encore la Chiesa di San Sebastiano (p. 109).

DIVINES ŒUVRES D'ART

> Les mosaïques de la basilique Saint-Marc (p. 41)
> *L'Assomption de la Vierge* dans l'église I Frari (p. 84)
> *Le Jugement dernier* dans la Chiesa della Madonna dell'Orto (p. 74)
> L'escalier dessiné par Longhena dans la Scuola Grande dei Carmini (p. 114)
> La galerie des femmes dans la Schola Spagnola (visite des synagogues ; p. 74)

PÉCHÉS MORTELS

> Truffes au chocolat et au vinaigre balsamique chez VizioVirtù (p. 91)
> *Zaete* (biscuits) et *krapfen* (beignets) lors de la Festa della Madonna della Salute (p. 30)
> Un *macchiato* au Paradiso (p. 69), en pleine Biennale
> Sorbet au citron d'Amalfi chez Grom (p. 119)
> *Prosecco* et poésie au Sacro e Profano (p. 94)

VENISE HORS SAISON

Le mouvement le plus entêtant des *Quatre saisons* de Vivaldi est l'hiver, et ce n'est pas un hasard. Le bruit étouffé des pas dans la neige, la glace gouttant des fenêtres gothiques, le claquement des bottes à la porte des bars… Vivaldi ne manquait pas de sources d'inspiration. En hiver, les Vénitiens baissent la garde ; les chefs et les artisans sont ouverts et bienveillants. La place Saint-Marc est généralement désertée, pour le bonheur des touristes qui rêvent de chocolats chauds.

Mais il n'y a pas que le charme. En visitant Venise entre novembre et mars, à l'exception des périodes de Noël et du Carnaval, tous les prix baissent, des chambres aux repas et aux boissons. Les musées sont vides, les restaurants ouverts proposent une carte réduite à des clients essentiellement vénitiens. Sans les interminables files d'attente, on profite tranquillement de Titien aux Gallerie dell'Accademia et du mouvement futuriste à la collection Peggy Guggenheim. Plus tard, on discutera des couleurs de Venise bien au chaud, autour d'un verre…

ACTIVITÉS HIVERNALES

> Apprendre l'italien à l'Istituto Venezia (p. 121)
> Assister aux fêtes de clôture de la Biennale (p. 17)
> Traverser le Grand Canal lors de la Festa della Madonna della Salute (p. 30)
> Se réchauffer autour du four d'un souffleur de verre à Murano (p. 141)
> Fêter le Carnaval en costume à La Fenice (p. 57)

SPÉCIALITÉS… DE SAISON

> *Anatra* (canard de lagune)
> *Moscardini* (petits calamars)
> *Granseola* (araignée de mer)
> *Radicchio di Treviso* (chicorée)
> *Fritole* (beignets sucrés) du Carnaval

PRIVILÈGES TOURISTIQUES

> Discuter tranquillement avec les Vénitiens
> Acheter des billets à la dernière minute à La Fenice (p. 57)
> Réserver dans n'importe quel restaurant
> Éviter la queue aux Gallerie dell'Accademia (p. 112)
> Profiter du soleil d'hiver éclairant la basilique Saint-Marc (p. 41)

ET POUR SE RÉCHAUFFER

> Chocolat chaud chez VizioVirtù (p. 91)
> *Brodo di pesce* (bouillon de poisson au safran) chez Anice Stellato (p. 77)
> *Pasta e fasioi* (pâtes aux haricots) à La Cantina (p. 78)
> *Caffè corretto* (café au cognac) au Caffè Florian (p. 56)
> *Amarone* aux Rusteghi (p. 55)

"DO IT YOURSELF"

Après le troisième Titien et la dixième gondole, peut-être commencerez-vous à avoir quelques idées. Certes Titien est inimitable et il faut des années de pratique pour devenir gondolier… Mais la peinture et la navigation n'en sont pas pour autant hors de portée. À défaut de rapporter une gondole ou une fresque, les maquettes de Gilberto Penzo et les pigments d'Arcobaleno font d'excellents souvenirs. Mieux encore : vous pourrez aiguiser votre œil dans un atelier d'imprimerie, votre appréciation de la musique baroque grâce à des leçons de musique, ou même votre sens de l'équilibre dans un stage de *voga alla veneta* (l'art vénitien de ramer debout).

À Venise, les sources d'inspiration sont partout. Rien de plus facile que de se programmer sa propre dégustation de vin en fréquentant les *enoteche* locales. Quant aux cours de cuisine, il vous permettront de faire des *cicheti* de retour chez vous (voir www.venicevenetogourmet.com). Le Venetian Club (p. 121) propose des cours accélérés pour apprendre à créer des perles à la torche et des mosaïques de verre. Si cette cité lacustre a une chose à vous apprendre, c'est que tout est possible avec un brin d'imagination.

À ESSAYER ABSOLUMENT
> Réaliser de sombres aquatintes à la Bottega del Tintoretto (p. 80)
> Ramer debout sur la lagune avec Jane Caporal, de Row Venice (p. 143)
> Comparer les grands crus de la Vénétie lors d'une dégustation à L'Orto dei Mori (p. 78)
> Relier un album de photos dont vous aurez marbré vous-même les pages (p. 48)
> Créer un masque chez Ca' Macana (p. 121)

LE MEILLEUR ÉQUIPEMENT
> Arcobaleno (p. 48) pour peindre
> Mare di carta (p. 103) pour naviguer
> Gilberto Penzo (p. 88) pour jouer aux petits bateaux
> Drogheria Mascari (p. 87) pour cuisiner
> Les marchés du Rialto (p. 94) pour pique-niquer ou réaliser une nature morte

TCHIN-TCHIN !

Quand il s'agit de boire, Venise bouscule toutes les idées reçues. Les bars de la ville pratiquent deux *happy hours* par jour, de 11h à 15h et de 18h30 à 20h30. Les cocktails emblématiques de Venise, comme le *spritz* (mélange de *prosecco* et d'Aperol ou de Campari) donneront tort à ceux qui affirment qu'on ne mélange pas le vin et les alcools forts. Et ne vous avisez pas de dire aux ouvriers navals que le *prosecco* est un vin de fillette…

De fait, on ne sait pas toujours quelle boisson commander. Le prix n'est pas une preuve de qualité : on peut payer 2 € pour un *spritz* correct et regretter amèrement les 15 € déboursés pour un Bellini. Si vous n'aimez pas votre verre, laissez-le et changez d'adresse !

Dans le reste de l'Italie, l'appellation officielle DOC (*denominazione d'origine controllata*) et la norme d'excellence DOCG (*denominazione d'origine controllata e garantita*) désignent généralement des vins de qualité supérieure, mais la Vénétie ne fait rien comme les autres. Plusieurs petits vignobles régionaux refusent de se soumettre à ces contrôles et écoulent toute leur production dans les restaurants et les bars à vin de la ville. Les terroirs de Vénétie, marécageux ou montagneux, confèrent du caractère aux raisins les plus ordinaires. Le merlot ou le *soave* seront peut-être les meilleures surprises de la carte !

Heureusement, les verres et les demi-bouteilles servis dans les restaurants et les bars à vin permettent toutes les audaces. Même les connaisseurs devraient demander conseil à leurs hôtes. C'est parfois de cette manière que l'on découvre son vin préféré. À la vôtre !

LES MEILLEURS VINS DE VÉNÉTIE

> *Prosecco* – ce blanc pétillant est incontournable
> *Valpolicella classico* – un rouge virtuose et plein de nuances
> *Lugana* – un blanc minéral bien charpenté, digne de Palladio
> *Raboso del Piave* – âpre jeune, superbe plus âgé
> *Amarone* – un rouge profond et voluptueux

LES MEILLEURES ADRESSES POUR BOIRE UN(E)…

> Spritz au Caffè Rosso (p. 122)
> Rialto au B Bar (p. 54)
> Danieli au Bar Terazza Danieli (p. 68)
> Bellini au Harry's Dolci (p. 130)
> Vin au tonneau au Nave d'Oro (p. 95)

>HIER ET AUJOURD'HUI

Les témoins du glorieux passé de Venise au Museo Storico Navale (p. 62)

HIER ET AUJOURD'HUI

HISTOIRE

UN EMPIRE CONSTRUIT SUR UN MARAIS

Il fallait être sous la menace des Huns et des Goths en cette année 452 pour avoir l'idée de fonder une ville sur un marais infesté de moustiques ! Les premiers habitants ne manquaient pas d'habileté et ils ne tardèrent pas à s'élever au-dessus des marécages, enfonçant dans quelque 30 mètres de limon des poteaux de bois sur lesquels reposent Venise.

Une fois installée, la ville entreprit de consolider ses intérêts commerciaux. Alors que Gênes, sa rivale, s'efforçait de trouver des itinéraires vers le Nouveau Monde, Venise s'attachait au contrôle du dernier tronçon de la Route des épices et de la Route de la soie. Gênes tenta de s'emparer de la ville et de son commerce maritime en 1380, mais, bien qu'affaiblie par une épidémie de peste, Venise finit par l'emporter et étendit sa domination sur un territoire allant de la Dalmatie à Bergame.

Vers 1450, la Sérénissime offrait le visage d'une ville tapissée de mosaïques dorées, emmaillotée de soie froufroutante et baignée d'un encens masquant les relents pestilentiels de la lagune. Le calme régnait grâce à un système complexe assurant l'équilibre des pouvoirs – et au recours à la répression lorsque c'était nécessaire. Le Grand Conseil élisait un doge chargé des affaires courantes, tandis que le Conseil des Dix, sorte de service secret, déjouait les complots grâce à son réseau d'espions.

FAISEURS DE MODE ET FAUTEURS DE TROUBLES

Alors qu'elle perdait du terrain face aux pirates et aux Ottomans, Venise se montra une fois encore à la hauteur de la situation et usa de son charme

---

1204 : UN COUP DE MAÎTRE

C'est en jouant les agents triples durant la quatrième croisade que Venise assoit sa dimension internationale. La ville avait conclu avec les croisés un marché par lequel elle s'engageait, moyennant la somme de 84 000 marcs d'argent, à acheminer les troupes franques vers la Terre sainte. Venise continua néanmoins à commercer avec les puissances musulmanes. Le solde de la somme promise n'ayant pas été versé, Venise accepta de reporter le paiement en échange de quoi les croisés devaient attaquer Constantinople. Le pillage de la capitale byzantine permit aux navires de la Sérénissime de repartir chargés d'un riche butin.

NAISSANCE D'UN QUARTIER ROUGE

Au XIVe siècle, la ville imposa aux courtisanes – femmes d'influence et poétesses admirées – d'accrocher des lumières rouges à leur gondole et de n'exhiber leurs charmes que depuis leur fenêtre. Avec 12 000 prostituées enregistrées, Venise possédait concrètement, à la fin du XVIe siècle, un véritable "quartier rouge". De nos jours, les lanternes rouges signalent généralement les chantiers… mais l'on peut toujours faire un repas décadent à l'Antiche Carampane ("la vieille prostituée", p. 92), près du Ponte delle Tette ("pont des tétons").

pour conquérir l'Europe. Les peintres vénitiens faisaient alors preuve d'une incroyable audace en réussissant à introduire une dimension sociale et un aspect sensuel dans les sujets religieux les plus classiques. Quant à la musique (p. 157), elle se montrait irrésistiblement entraînante, facilitant les contacts entre les êtres humains, hommes et femmes, Italiens et Allemands, ecclésiastiques et mondains.

L'Église n'appréciait pas. La censure frappa les peintres qui traitaient les sujets sacrés sous une lumière toute charnelle, ainsi que les musiciens interprétant des airs enjoués dans les églises. En 1767, toutefois, sous le feu des reproches de Rome, Venise fit le compte des recettes versées à l'Église durant les dix années précédentes. Étant parvenue à la somme de 11 millions de ducats d'or, la ville s'empressa de fermer 127 monastères et couvents, réduisant de moitié le nombre d'ecclésiastiques et réorientant vers ses coffres de précieux millions.

Pendant ce temps, les modes et les goûts vénitiens se propageaient discrètement dans les salons européens, et la ville devint la cour de récréation des élites. Les couvents organisaient des soirées dignes de celles des casinos (*ridotti*) et le carnaval durait trois mois. Les épouses de marins faisaient appel à de jeunes et beaux *cicisbei* (chevaliers servants) pour assouvir leurs désirs. Par pure coïncidence, sans doute, il arrivait que ces dames soient frappées d'accès de ferveur religieuse les menant neuf mois durant dans la réclusion d'un couvent ; et sans doute est-ce aussi un hasard si les quatre orphelinats (*ospedaletti*) de la ville ne désemplissaient pas. Au XVIIIe siècle, moins de 40% des nobles de la ville se pliaient aux formalités du mariage.

LA FÊTE EST FINIE

Lors de l'arrivée des troupes napoléoniennes, en 1797, la peste et d'autres vicissitudes avaient réduit la population de 175 000 à 100 000 habitants. En 1817, un quart des Vénitiens vivaient dans la pauvreté, et lorsque la ville se souleva contre les Autrichiens, en 1848 et en 1849 (Français et Autrichiens s'étaient échangé le trophée à plusieurs reprises), le blocus imposé la laissa dévastée par le choléra et la famine. Le ressentiment ne cessa de s'envenimer jusqu'au rattachement de Venise au royaume d'Italie, en 1866.

Aux XIXe et XXe siècles, Venise revêtit des habits de tous les jours : des usines surgirent dans la Giudecca et l'on construisit un pont de chemin de fer, auquel Mussolini adjoignit une chaussée routière, reliant littéralement Venise au reste de l'Italie. La guerre et le choc de la déportation massive de la population juive, en 1943 et 1944, contribuèrent au déclenchement d'une crise identitaire. Dans les années 1960, les Vénitiens furent nombreux à quitter la ville pour s'installer à Milan et dans d'autres agglomérations florissantes du nord de l'Italie.

ACQUA ALTA

La catastrophe se produisit le 4 novembre 1966. Les eaux montèrent à des hauteurs sans précédent, inondant 16 000 habitations et 1 400 ans d'histoire. Millionnaires ou modestes donateurs, des amoureux de Venise se mobilisèrent dans le monde entier et une trentaine d'organismes privés coordonnés par l'Unesco s'occupèrent de réparer les dégâts causés par les eaux. On peut voir sur les photographies de l'époque (www. albumdivenezia.it) des Vénitiens en train de sécher page par page des manuscrits anciens, ainsi que des cafetiers en cuissarde servant des *spritz* à des clients en gondole.

Paradoxalement, c'est peut-être dans le défi posé par les *acque alte* (hautes eaux) que réside le salut d'une ville délaissée par ses habitants, qui vont trouver sur le continent des loyers moins chers et des emplois plus

VENISE POUR DÉCOR

> *Mort à Venise* (1971)– Visconti s'inspire du roman de Thomas Mann et filme l'histoire d'un coup de foudre, d'une épidémie et d'un compositeur qui ressemble à Mahler.
> *Vacances à Venise* (1957)– comédie désuète et charmante signée David Lean. Katherine Hepburn y interprète une touriste américaine à la recherche du grand amour.
> *Casanova* – choisissez la version de Fellini (1976), avec Donald Sutherland, ou celle de Luigi Comencini (1969).
> *Ne vous retournez pas* (1973) – l'efficace thriller de Nicolas Roeg met en scène une Julie Christie et un Donald Sutherland en proie aux esprits.
> *Casino Royale* (2006)– James Bond sur le Grand Canal, pour un final en apothéose.

COMME UN VÉNITIEN À VENISE

Mosaïques byzantines, Festival international du film, collection Peggy Guggenheim, collection d'art de François Pinault… la cosmopolite Venise a des goûts raffinés et accueille volontiers ce qui vient de l'étranger. Nul besoin cependant d'être un riche collectionneur pour devenir un peu vénitien. Sur les 20 millions de visiteurs annuels, seuls trois millions passent la nuit sur place, alors qu'un séjour dans un B&B tenu par des habitants (p. 171) permet d'avoir un contact avec la population locale. Vous pouvez aussi manger comme un Vénitien (p. 152), vous initier à une technique artisanale locale (p. 161) et prononcer quelques mots en dialecte (p. 184). Le plus sûr moyen de s'attirer la sympathie des habitants reste de s'intéresser à eux et à leur ville. Ils sont tellement peu habitués à de telles initiatives qu'ils accueilleront avec surprise et enthousiasme la moindre tentative de conversation.

nombreux, tandis que les navires de croisière déversent chaque jour leurs flots de touristes dans le centre. Venise ne s'est pas encore transformée en parc d'attractions américain ni en nouvelle Atlantide. Tout en cherchant des solutions durables à la montée des eaux (p. 170), la ville demeure un acteur important et créatif du monde d'aujourd'hui, solidement ancrée dans la réalité par ses poteaux de bois et par ceux qui les ont plantés là, les Vénitiens.

VIVRE À VENISE

Ils ne sont qu'une poignée à avoir donné naissance à tous ces palais, peintures, églises et autres merveilles. Quel que soit le jour de l'année, le nombre de touristes excède celui des Vénitiens recensés : 60 000 actuellement, dont un quart ont plus de 65 ans. Bien que la population ait diminué de moitié depuis 1848, la ville compte encore 2 000 enfants et conserve un esprit jeune et créatif grâce à ses étudiants. Et si l'on ne croise guère de Vénitiens dans les artères principales, c'est qu'ils préfèrent emprunter les 3 000 petites rues de la ville.

Venise n'est pas seulement, quoi qu'on en dise, une ville de privilégiés. Un millier de palais ont été convertis en hôtels ou en B&B. Réinventant sans cesse des traditions séculaires, les Vénitiens fabriquent de nouveaux objets avec du papier marbré, créent des bijoux en verre soufflé et transforment en de créatifs *cicheti* les poulpes pêchés à la manière de leurs ancêtres. Ici, on ne se repose pas sur les lauriers d'un glorieux passé.

ARTS

Choyés par Venise, les artistes lui ont donné une abondance de chefs-d'œuvre. Quand ailleurs dans le monde leurs homologues succombaient jeunes encore à la plus grande misère, peintres – Titien et Giovanni Bellini, par exemple – et architectes – Jacopo Sansovino et Baldassare Longhena, notamment – ont vécu ici jusqu'à plus de 80 ans, créant des œuvres admirables dans leurs années de maturité. Pour en savoir plus sur l'architecture, voir p. 154.

On retrouve à Venise quelques-uns des plus grands noms de l'histoire de l'art. Giovanni Bellini (v. 1430-1516) fit montre d'un exceptionnel talent dans le traitement de la couleur et l'expression des sentiments. Il transmit son habileté à deux élèves plutôt doués, Giorgione (1477-1510) et Titien (v. 1490-1576), dont de nombreuses œuvres peuvent être admirées aux Gallerie dell'Accademia (p. 113). Si les tons sanguins de Vittore Carpaccio (1460-1526) soutiennent la comparaison avec les rouges de Titien, c'est quand même *L'Assomption* du second, dans la Chiesa Santa Maria Gloriosa dei Frari (p. 84) qui établit finalement la réputation de Venise pour le puissant traitement de la couleur.

Bien que l'histoire de l'art mette souvent l'accent sur la séparation marquée de deux écoles – Venise pour la couleur et Florence pour les idées –, on constate que la Sérénissime débordait d'idées qui n'ont cessé de lui attirer des ennuis. Le Tintoret a certes remporté des commandes publiques, mais la facture de ses œuvres, traversées d'une foudroyante lumière capable d'exprimer, même dans des scènes religieuses, toute la force des sentiments humains, n'a cessé d'alimenter la polémique.

QUELQUES IDÉES DE LECTURE

> *Dictionnaire amoureux de Venise* de Philippe Sollers (éd. Plon) – une déclaration d'amour par un fidèle de la ville.
> *Venise, Itinéraires avec Corto Maltese* (éd. Casterman-Lonely Planet) – des balades en compagnie du célèbre marin d'Hugo Pratt pour découvrir la ville autrement.
> *La Mort à Venise* de Thomas Mann (éd. Le Livre de Poche) – le chef-d'œuvre du grand auteur allemand avec Venise pour véritable héroïne.
> *Venise et l'Orient* d'Aurélie Clemente-Ruiz (éd. Gallimard, coll. Découvertes) – l'histoire de la ville largement illustrée et au format poche.
> *Venise. La cité des Doges* de Viviane Bettaïeb et Bruno Fourure (éd. Gallimard Jeunesse) – un guide illustré pour ceux qui voyagent avec des enfants.

Personne n'a jamais critiqué les teintes lumineuses de Véronèse (1528-1588), mais il fut en butte à la censure de l'Église pour avoir décidé de représenter des Allemands, des Turcs, des joueurs et des chiens parmi les apôtres de *La Cène*. Il refusa de modifier le tableau, qui fut simplement rebaptisé *Le Repas chez Lévi*.

Laissant de côté les thèmes nobles, Pietro Longhi (1701-1785) représenta, parfois de manière satirique, la société vénitienne. Giambattista Tiepolo (1696-1770), lui, fit tournoyer les plafonds sous des volutes rococo baignées de lumière. Un grand nombre d'artistes vénitiens délaissèrent les paradis célestes au profit des paysages régionaux, le plus connu d'entre eux étant Canaletto (1697-1768). Quant à la portraitiste Rosalba Carriera (1675-1757), elle sut saisir dans des miniatures l'expression de ses contemporains.

ENVIRONNEMENT

Quelque 400 ponts sur 200 canaux reliant 117 îlots : le cadre de Venise est à la fois extraordinaire et extraordinairement fragile, l'ensemble n'étant protégé des avancées de l'Adriatique que par une mince barrière d'îles.

On dit que Venise sombre, mais ce n'est pas tout à fait vrai. Construite en partie sur des fondations de bois profondément enfoncées dans le limon de la lagune, la ville garde la tête hors de l'eau depuis des siècles. L'apparition de nouvelles contraintes porte toutefois de terribles coups à ces fondations, qui pâtissent gravement des polluants industriels et des remous provoqués par la vitesse excessive des bateaux à moteur. En outre, le dragage des canaux à des profondeurs importantes afin de permettre l'accueil de pétroliers géants et de navires de croisière a contribué à la montée du niveau des eaux depuis le début du XXe siècle. En 1900, la place Saint-Marc était inondée une dizaine de fois dans l'année, contre environ 60 maintenant. Venise se maintient néanmoins à flot grâce aux progrès de la technologie. Les ingénieurs estiment désormais qu'elle pourrait supporter au XXIe siècle une hausse du niveau des eaux comprise entre 26 et 60 cm – une excellente nouvelle… sauf qu'un groupe d'experts sur le changement climatique a récemment prévu une montée de l'ordre de 88 cm…

Si les solutions d'ensemble ne se trouvent pas d'un claquement de doigts, les gestes simples sont à la portée de tous : recycler les déchets, nettoyer, emporter ses détritus lorsque les poubelles publiques sont pleines, boire de l'eau du robinet (la municipalité doit traiter chaque année entre 20 et

MOSE, UN PROJET CONTROVERSÉ

Le projet MOSE (Modulo Sperimentale Elettromeccanico) a fait couler beaucoup d'encre à Venise depuis 30 ans. Après la grande inondation de 1966, des agences dépendant de l'Unesco se sont alarmées des menaces pesant sur une ville qui renferme bon nombre des plus importantes œuvres d'art au monde. Le sauvetage de Venise n'a pas de prix, estiment les défenseurs du projet MOSE.

Il s'agit d'un système de barrières gonflables mobiles, de 30 m de hauteur et 20 m de largeur, devant fermer les trois entrées de la lagune lorsque le niveau de la mer atteint des hauteurs dangereuses. Le projet, dont le coût est estimé à près de 5,5 milliards d'euros, n'apporte toutefois qu'une solution partielle, les inondations étant aussi engendrées par des précipitations importantes et la montée des cours d'eau.

De nombreux Vénitiens soulignent par ailleurs que leur ville n'est pas seulement un écrin à bijoux, et que l'impact des solutions proposées sur la vie des habitants doit être évalué. La mise en place des barrières ne va-t-elle pas s'accompagner de la formation d'eaux stagnantes qui poseraient des problèmes de santé publique et risqueraient de faire fuir les touristes ? MOSE va-t-il avoir des conséquences sur les espèces aquatiques locales et provoquer la fin de la pêche dans la lagune ? Ne va-t-il pas simplement repousser les nécessaires solutions aux problèmes de fond ?

D'abord prévu pour 2010, le projet MOSE devrait être achevé à l'horizon 2014. Et pendant ce temps, les écologistes locaux s'inquiètent des conséquences sur le niveau des eaux, la pêche et la vie quotidienne à Venise, du réchauffement climatique, de l'afflux des navires de croisière et de la pollution causée par l'usine pétrochimique de Marghera.

60 millions de bouteilles d'eau minérale…), demander aux bateaux-taxis d'aller plus lentement afin de ne pas déclencher de vagues, privilégier les commerces locaux : autant d'actions qui encourageront vos hôtes vénitiens dans leurs efforts de préservation de leur ville.

HÉBERGEMENT

Rien ne vous oblige à dormir sur le continent et à vous priver du plaisir de découvrir la cité au petit matin. Certains affirment que Venise manque de lits et qu'il est impossible de s'y loger pour moins de 200 €. C'était peut-être vrai il y a dix ans, mais les choses ont bien changé.

Dernièrement, de nombreux Vénitiens ont en effet ouvert des B&B ou proposent des chambres à louer (*affitacamere*). Moins anonymes que les grands hôtels destinés aux groupes, ces adresses sont souvent situées dans des quartiers authentiques. Avec Internet, il est désormais facile d'évaluer les prix, de trouver des offres de dernière minute ou d'écrire un courriel pour négocier directement un tarif convenable. Vous pouvez consulter les offres sur www.veniceby.com, www.guestinitaly.com ou encore www.bed-and-breakfast.it qui propose une bonne liste de B&B. Le site de l'Azienda di Promozione Turistica (APT), www.turismovenezia.it répertorie aussi 250 *affitacamere* et B&B. En cherchant un peu, vous trouverez des établissements qui ne doublent pas leurs tarifs en haute saison, voire quelques chambres à moins de 100 €.

Si vous souhaitez vraiment loger à Mestre, voilà un argument qui vous fera peut-être changer d'avis.

Imaginez que vous êtes à Venise. Le soleil se couche. Jamais la ville ne vous a paru si romantique. Vous finissez votre verre de *spritz*, puis vous vous dirigez vers cette *osteria* vénitienne typique que le guide vous conseille. Le repas est excellent, mais vous devez attraper votre train pour Mestre… et la gare est encore loin. Demain matin, au lieu d'être réveillé par les gondoliers, vous aurez droit à une symphonie de klaxons.

Alors, vous préférez maintenant dormir à Venise ? Les *affitacamere* et les B&B les plus raisonnables sont concentrés dans les parties résidentielles de Santa Croce, de San Polo et de Cannaregio, trois quartiers au charme authentique. Les B&B de San Marco, de Dorsoduro et de Castello, proches des grands sites touristiques, sont plus coûteux. Dorsoduro et San Marco comptent aussi des hôtels de charme.

Si vous rêvez de loger dans un palais avec vue sur le Grand Canal, cherchez du côté de San Marco. Plusieurs palais historiques ont été achetés par des chaînes. Le mot d'ordre de ces luxueux établissements est désormais l'efficacité, pour le meilleur ou pour le pire. Géré par Starwood, le Gritti Palace a conservé son charme vieillot. Le Danieli demeure un incontournable et les amateurs de luxe au bord de l'eau apprécieront l'hôtel Bauer.

PETITS BUDGETS

RESIDENZA JUNGHANS

☎ 041 5210801 ; www.residenzajunghans. com ; Terzo Ramo della Palada 394, Giudecca ; s/d 40/70 € ; 🚇 Palanca
Cette résidence universitaire, spartiate et impeccable, peut héberger plus de 90 personnes dans des chambres simples ou doubles. Bien située au milieu de l'île de la Giudecca, elle a remplacé d'anciens entrepôts et usines.

FORESTERIA VALDESE

☎ 041 5286797 ; www.foresteriavenezia. it ; Palazzo Cavagnis 5170, Castello ; dort 25 €, d à partir de 82 €, petit-déj inclus ; 🚇 Ospedale
Une fantastique auberge de jeunesse occupant un palais détenu par l'Église évangélique vaudoise. Au 1er étage, les chambres sont ornées de fresques de Bevilacqua (XVIIIe siècle), et celles du 2e étage jouissent d'une vue sur le canal. Les dortoirs ne peuvent être loués que par des familles ou des groupes. À réserver très à l'avance.

HOTEL AI DO MORI

☎ 041 5204817 ; www.hotelaidomori. com ; Calle Larga San Marco 658, San Marco ; d 50-150 € ; 🚇 San Zaccaria ; 🔀
Près de la place Saint-Marc, cet hôtel propose 11 chambres plaisantes et toutes différentes, certaines avec une vue jolie sur la basilique, d'autres dotées de poutres apparentes. Si possible, demandez la n°11 avec terrasse privée dominant la place Saint-Marc.

LOCANDA CASA PETRARCA

☎ 041 5200430 ; www.casapetrarca. com ; Calle delle Schiavine 4386, San Marco ; s/d 95/125 €, sans sdb 70/112 € ; 🚇 Rialto ; 🔀
Tenue par une famille chaleureuse, cette pension comprend 6 chambres sans prétention et impeccables. C'est l'une des meilleures adresses de San Marco dans cette gamme de prix. Du Campo San Luca, prenez la Calle dei Fuseri, tournez dans la seconde rue à gauche, puis à droite dans la Calle delle Schiavine.

RESIDENZA CA' RICCIO

☎ 041 5282334 ; www.cariccio.com ; Rio Terà dei Birri 5394/a, Cannaregio ; s 50-90 €, d 85-150 €, petit-déj inclus ; 🚇 Fondamente Nuove ; 🔀 🖳
Briques, pierres, poutres apparentes et sols vernissés rouge foncé caractérisent cette résidence du XIVe siècle amoureusement

restaurée. Les chambres sont d'une agréable simplicité, avec des lits en fer forgé, des draps blancs, des rideaux bleus et de charmants détails comme des fleurs fraîches.

ALBERGO CASA PERON

☎ 041 710021 ; www.casaperon.com ; Salizada San Pantalon 84, Santa Croce ; s 50/90 € d 85/100 €, petit-déj inclus ; 🚇 San Tomà ; ⬚

Dans un style vénitien excentrique, les chambres sont perdues au milieu du labyrinthe d'escaliers et de couloirs aux murs ornés de tableaux. Cet hôtel, niché dans la rue qui part des Frari, à l'angle du Campo Santa Margherita, loue des chambres ordinaires mais agréables. Demandez la n°5, dotée d'une terrasse dominant I Frari.

PALAZZO ZENOBIO

☎ 041 522 87 70 ; Dorsoduro 2596 ; s/d/tr/qua 65/100/120/140 €, sans sdb 30/56/80/100 € ; 🚇 Ca' Rezzonico

Ce palais tout en dorures de 1690, qui abritait autrefois une école pour la communauté arménienne de Venise, accueille désormais étudiants et voyageurs pour un prix raisonnable. Les chambres sont sobres, mais les plafonds en trompe-l'œil du palais sont magnifiques et son jardin à la française, envahi par les herbes, figure parmi les plus beaux et les plus grands de Venise.

PENSIONE GUERRATO

☎ 041 5285927 ; www.pensioneguerrato. it ; Ruga due Mori 240a, San Polo ; s/d 100/140 €, sans sdb 70/95 € ; 🚇 Rialto Mercato ; ⬚

Au beau milieu des marchés du Rialto, cette pension une étoile occupe un ancien couvent qui aurait servi d'auberge aux chevaliers de la troisième croisade. Des fragments de fresques ornent encore les murs et les plafonds de certaines chambres. Toutes spacieuses et lumineuses, elles donnent sur les marchés et quelques-unes permettent même d'apercevoir le Grand Canal.

ANTICA LOCANDA MONTIN

☎ 041 5227151 ; www.locandamontin. com ; Fondamenta di Borgo 1147, Dorsoduro ; d 100-160 €, sans sdb s 40-70 €, d 75-120 € ; 🚇 Accademia ; ⬚

Cette pension confortable, au bord d'un paisible canal, était l'une des adresses favorites d'Ezra Pound et de Modigliani. Les chambres douillettes, avec parquet ou *terrazzo* vénitien classique, ouvrent sur le canal ou sur le jardin à l'arrière. Les chambres n°5 et 8 sont pourvues d'un balcon surplombant le canal.

IL LATO AZZURRO

☎ 041 2444900 ; www.latoazzuro.it ; Via Forti 13, Sant'Erasmo ; dort 25-30 €, s 50-55 €, d 70-80 € ; 🚇 Sant'Erasmo Capannone

Sur Sant'Erasmo, l'île-jardin de Venise, cette villa de campagne au toit rouge, à 25 minutes de bateau du centre de la Sérénissime, loue des chambres spacieuses avec parquet et lits en fer forgés qui ouvrent sur une terrasse faisant tout le tour de la bâtisse. Les repas sont en grande partie préparés à base de produits bio et de commerce équitable cultivés sur place. Vélos disponibles. La lagune se trouve au bout du chemin (emportez du produit anti-moustiques).

LOCANDA AL RASPO DE UA
☎ 041 730095 ; www.alraspodeua.com ; Via Galupi 560, Burano ; s 45-55 €, d 85-95 € ; 🛥 Burano ; ⛓
Seul hébergement sur Burano, cette modeste pension est située dans la rue principale. Les chambres, sont simples et accueillantes. Loger ici est l'occasion de découvrir un autre aspect de la lagune : après le départ des derniers touristes en fin d'après-midi, vous serez seul avec les habitants sur cette charmante île aux tons pastel.

CATÉGORIE MOYENNE
HOTEL FLORA
☎ 041 5205844 ; www.hotelflora.it ; Calle Bergamaschi 2283a, San Marco ; s/d 150/200 € ; 🛥 San Marco/Vallaresso ; ⛓ 💻

Sise dans une ruelle donnant sur la Via Larga XXII Marzo, cette oasis de verdure surclasse ses voisins haut de gamme avec son emplacement de rêve. Les 43 chambres sont dotées de lits sculptés avec des matelas confortables et des duvets moelleux. Les meilleures chambres sont les n°3 et 32, tout en dorures, qui donnent sur le jardin.

LOCANDA BARBARIGO
☎ 041 2413639 ; www.locandabarbarigo.com ; Fondamenta Barbarigo 2503a, San Marco ; s 70-160 €, d 85-180 € ; 🛥 Santa Maria del Giglio ; ⛓ ♿
Installé dans le Palazzo Barbarigo, superbe demeure de nobles

vénitiens, cet hôtel dispose de quelques chambres joliment décorées, avec des meubles peints du XVIIIe siècle. Demandez la chambre d'angle, dans des tons vert d'eau, qui jouit d'une vue sur un petit canal, ou la petite chambre jaune mansardée avec un lit en fer forgé et des poutres apparentes.

PALAZZO SODERINI
☎ 041 2960823 ; www.palazzosoderini. it ; Campo Bandiera e Moro 3611, Castello ; d petit-déj inclus 150-200 € ; 🏛 Arsenale ; 🔀

La façade de ce beau palais cache des chambres couleur blanc ou crème, au décor minimaliste. Un charmant jardin égaie cette neutralité.

CA' POZZO
☎ 041 5240504 ; www.capozzovenice. com ; Sotoportego Ca' Pozzo 1279, Cannaregio ; s 90-180 €, d 100-320 € ; 🏛 Guglie ; 🔀 🖳

Niché au fond d'une impasse, ce petit hôtel constitue un havre accueillant au design minimaliste et fonctionnel : TV à écran plat, coffres-forts, chambres décorées d'œuvres d'art contemporain, les unes avec poutres apparentes, d'autres avec sol carrelé.

DOMUS ORSONI
☎ 041 2759538 ; www.domusorsoni.it ; Corte Vedei 1045, Cannaregio ;

s 80-150 €, d 100-250 €, tr 120-280 €, petit-déj inclus ; 🏛 Tre Archi ; 🔀 🖳

Cinq chambres délicieuses occupent le *piano nobile* (étage principal) de cette maison vénitienne, dans une paisible ruelle de Cannaregio. Depuis 1885, l'atelier de mosaïque Orsoni est installé dans le jardin à l'arrière (où l'on sert le petit-déjeuner en été). Des mosaïques décorent les salles de bains, les têtes de lit et d'autres éléments des chambres. Toutes sont spacieuses (les plus grandes donnent sur la rue) et dotées de parquet.

CA' ANGELI
☎ 041 5232480 ; www.caangeli.it ; Calle del Traghetto della Madonnetta 1434, San Polo ; s 95 €, d 105-125 €, petit-déj inclus ; 🏛 San Silvestro ; 🔀

Soigneusement entretenu, ce bel hôtel se distingue par la diversité de son offre, de la petite double avec terrasse privée sur le toit à la suite spacieuse surplombant le Grand Canal. Des meubles anciens et d'authentiques lampes de Murano décorent les lieux. Vous aurez plaisir à vous attarder dans la salle de lecture donnant sur le Grand Canal.

CA' SAN TROVASO
☎ 041 2771146 ; www.locandasantrovaso. com ; Fondamenta delle Eremite 1350, Dorsoduro ; s/d 95/125 € ; 🏛 Zattere

Avec ses sols en *terrazzo alla veneziana* et son décor vénitien, cette pension est une agréable surprise, à quelques pas seulement du canal de la Giudecca. Parmi les chambres spacieuses, décorées de tapisseries, certaines bénéficient d'une jolie vue. En été, vous pourrez profiter du soleil sur l'*altana* (toit-terrasse vénitien traditionnel).

CA' DELLA CORTE

☎ 041 71 58 77 ; www.cadellacorte.com ; Corte Surian 3560, Dorsoduro ; d petit-déj inclus 75-150 € ; 🚇 Piazzale Roma ; ❌ ❌ 💻 📶

Devenez un véritable Vénitien dans cette maison de famille du XVIᵉ siècle située à 10 minutes du Piazzale Roma et du Campo Santa Margherita. Chambres donnant sur la cour, fresque dans le somptueux salon de musique et petit-déjeuner servi sur la terrasse du dernier étage donnant sur les toits de la ville. Les employés organisent des concerts, des cours de peinture en plein air, des excursions en bateau.

CHARMING HOUSE DD.724

☎ 041 2770262 ; www.thecharminghouse.com ; Ramo de Mula 724, Dorsoduro ; d 200-410 € petit-déj inclus ; 🚇 Accademia ; ❌ 💻

Les propriétaires de cet hôtel n'ont conservé que la coquille de cette demeure vieille de plusieurs siècles. Ils ont aménagé à l'intérieur, dans un style ultramoderne avec des touches d'art contemporain, 7 chambres et suites. Toutes différentes, elles comprennent des équipements tels qu'un home cinéma et une connexion Wi-Fi. Les couleurs crème, beige et brun prédominent.

LOCANDA CIPRIANI

☎ 041 730150 ; www.locandacipriani.com ; Piazza Santa Fosca 29, Torcello ; s et d 100-130 €/pers, demi-pension 150-180 € ; 🕓 fermé jan ; 🚇 Torcello

Séjourner dans l'une des 6 chambres spacieuses et calmes (pas de TV) de cette retraite champêtre de la lagune, autrefois fréquentée par Hemingway et d'autres stars, est bien agréable. N'hésitez pas à choisir la demi-pension, le restaurant est excellent.

CATÉGORIE SUPÉRIEURE

PALAZZO ABADESSA

☎ 041 241 37 84 ; www.abadessa.com ; Calle Priuli 4011, Cannaregio ; d 145-325 € ; 🚇 Ca' d'Oro ; ❌ ❌ 💻 📶

Dans cet opulent palais de 1540, les soirées semblent enchantées, grâce à la propriétaire Maria Luisa qui réalise tous les souhaits de ses hôtes. Les superbes chambres possèdent des lits somptueux, des murs en soie damassée et des coiffeuses du XVIIIᵉ siècle.

Optez pour une chambre baroque et demandez-en une avec des fresques d'époque au plafond. Sirotez un cocktail dans le jardin avant de partir avec le bateau pour l'Opéra (billets réservés par Maria).

HOTEL GRITTI

☎ 041 794611 ; www.starwoodhotels.com ; Campo Traghetto 2467, San Marco ; d 500-2 500 € ; 🚊 Santa Maria del Giglio ; ✂ 💻

Au bord du Grand Canal, le Gritti est l'un des hôtels les plus réputés de Venise. Il compte 90 chambres, toutes équipées de meubles anciens et décorées dans un somptueux style vénitien d'époque. Les plus belles donnent sur le Grand Canal. De grandes salles de bains en marbre et des tapis d'Orient font partie des luxueux aménagements.

BAUER PALLADIO HOTEL & SPA

☎ 041 520 70 22 ; www.palladiohotelspa.com ; Fondamenta della Croce 33, Giudecca ; d 296-490 € ; 🚊 Zitelle ; ✂ 💻

Faites-vous plaisir en séjournant dans un ancien cloître de style palladien qui jouit d'une vue sur San Marco, avec bateau à énergie solaire et fantastique spa. Ce monument hébergeait autrefois des nonnes et des orphelins, mais il loue aujourd'hui 37 chambres calmes, avec tout le confort imaginable, la plupart avec terrasse verdoyante ou vue sur le canal de la Giudecca. Descendez au rez-de-chaussée pour le buffet du petit-déjeuner, avec produits bio locaux, et des soins "écologiques", comme les bains de lait, miel et rose (90 €) avec, en outre, sauna, Jacuzzi et hammam tout en marbre.

HOTEL DANIELI

☎ 041 5226480 ; www.starwood.com/luxury ; Riva degli Schiavoni 4196, Castello ; d 319-2 800 € ; 🚊 San Zaccaria ; ✂

Cet hôtel mythique, ouvert en 1822, occupe le magnifique Palazzo Dandolo (XIVe siècle). La plupart des chambres offrent une vue sur la lagune et les églises Santa Maria della Salute et San Giorgio Maggiore. Le superbe hall – avec ses arcades, ses majestueux escaliers et balcons – est une promenade à travers des siècles de splendeur.

CARNET PRATIQUE

TRANSPORTS
ARRIVÉE ET DÉPART
ENTRER EN ITALIE
Pour les ressortissants de l'UE ou de Suisse, une carte d'identité en cours de validité suffit. Les ressortissants canadiens doivent présenter un passeport en cours de validité et n'ont pas besoin de visa pour un séjour n'excédant pas 90 jours.

AVION
La plupart des vols arrivent à l'**aéroport Marco Polo** (VCE ; ☎ 041 260 9260 ; www.veniceairport.it), situé à 12 km de Venise. Certains vols atterrissent et décollent à l'**aéroport San Giuseppe** (TSF ; ☎ 042 231 51 11) de Trévise, à 30 km de Venise (environ une heure de route en tenant compte de la circulation).

Depuis la France
Air France (☎ 3654 ; www.airfrance.fr) et **Alitalia** (☎ 0820 315 315 ; www.alitalia.com), assurent des liaisons directes quotidiennes depuis Paris (durée 1h40) et Lyon (durée 1h20). En réservant très à l'avance pour un voyage en milieu de semaine, vous obtiendrez des prix très avantageux (autour de 100 €). Sinon, comptez au moins 230 €.

Plusieurs compagnies à bas prix proposent aussi des vols directs pour Venise. Comptez environ 80 € pour un vol **Easyjet** (☎ 0899 65 00 11 ; www.easyjet.com) au départ de Paris ou de Lyon. **Ryanair** (www.ryanair.com) propose des tarifs encore plus avantageux au départ de Paris-Beauvais pour une arrivée à Trévise.

Depuis la Belgique
Alitalia (☎ 02 551 11 22 ; www.alitalia.com) assure plusieurs fois par semaine la liaison Venise-Bruxelles. **SN Brussels Airlines** (☎ 0902 51 600 ; www.brusselsairlines.fr) dessert Venise par vol direct deux fois par jour depuis Bruxelles. **Ryanair** (www.ryanair.com) dessert Trévise par vol direct deux fois par jour depuis Bruxelles Charleroi. Comptez environ 1h30 de vol et 250 €, moins si vous réservez en avance et que vous vous adressez à une compagnie low cost.

Depuis la Suisse
Les vols **Alitalia** (☎ 0848 486 486 ; www.alitalia.com) pour Venise depuis la Suisse sont tous avec escale, à Rome ou Milan. Depuis Zürich, **Swiss International Air Lines** (☎ 848 700 700 ; www.swiss.com) dessert Venise par vol direct trois fois par jour. La compagnie **Flybaboo** (☎ 0848 445 445 ; www.flybaboo.com) propose un vol direct depuis Genève tous les jours sauf le samedi. Prévoyez 1h15 de vol et entre 250 CHF et 500 CHF, selon la saison et si vous réservez assez tôt

DEPUIS/VERS L'AÉROPORT

	Bateau	Bus ATVO	Bus ACTV n° 5	Bateau-taxi
Départ	sur le quai, à 10 min à pied du terminal	devant le terminal	devant le terminal	sur le quai, à 10 min à pied du terminal
Arrivée	direct jusqu'à San Marco avec la ligne, Oro ou arrêts multiples (Fondamente Nuove, San Zaccaria, Zattere, Giudecca…) avec les lignes Blu, Rossa ou Arancio ; voir plan des lignes sur le site Web	Piazzale Roma	Piazzale Roma	quai le plus proche de votre hôtel
Durée	50 à 80 min selon la destination	20 min	40 min	30-50 min, selon la destination
Prix	30 € l'aller pour la ligne Oro, 13 € pour les autres	3 €	1 €	selon votre destination et le nombre de passagers ; généralement 90-120 € pour 4 pers
Divers	billets en vente au terminal ou sur le quai ; billets à tarif réduit sur www.venicelink.com	départ toutes les 30-50 min ; billets en vente Piazzale Roma ou au terminal	nombreux arrêts sur le continent ; billets en vente Piazzale Roma ou au terminal	possibilité de réserver à l'avance une place sur un bateau-taxi partagé d'Airport Link (30 € l'aller) via www.venicelink.com, ou en demandant à la réception de votre hôtel
Contact	www.alilaguna.com	www.atvo.it	www.actv.it	☎ 041 5222303, 041 5221265

Depuis le Canada

Pour vous rendre à Venise, vous devrez certainement passer par Rome, Milan ou une autre grande ville européenne d'où vous prendrez une correspondance pour la cité des Doges. Vous pouvez aussi vous rendre en Italie via New York aux États-Unis.

Renseignez-vous auprès des principales compagnies aériennes européennes et consultez aussi les offres des compagnies à prix réduits depuis l'Europe, notamment **Air Dolomiti** (www.airdolomiti.it), **easyJet** (www.easyjet.com), **Ryanair** (www.ryanair.com) ou **Transavia** (www.tansavia.com).

LE MEILLEUR MOYEN POUR ALLER À…

	Stazione Santa Lucia	Rialto	Ghetto
Stazione Santa Lucia	–	*vaporetto* n°1, 15 min	à pied, 10 min
Rialto	*vaporetto* n°1, 15 min	–	à pied, 20 min
Ghetto	à pied, 10 min	à pied, 20 min	–
Gallerie dell'Accademia	*vaporetto* n°3, 15 min	à pied, 20 min	*vaporetto* n°82, 20 min
Place Saint-Marc	*vaporetto* n°3, 25 min	à pied, 15 min	*vaporetto* n°82, 30 min
Zanipolo	*vaporetto* n°41/51, 30 min	à pied, 15 min	*vaporetto* n°42/52, 20 min

TRAIN

Depuis la France, vous voyagerez à bord du train de nuit **Artesia** (www.artesia.eu) au départ de Paris (avec un arrêt à Dijon et à Dôle). En réservant très tôt une couchette dans un compartiment de 6 personnes, l'aller-retour Paris-Venise coûte 70 €.

En la Suisse, des liaisons existent depuis Bâle, Genève ou Zurich avec une correspondance à Milan. Renseignez-vous sur l'éventualité d'une liaison directe entre Genève et Venise auprès de **CFF** (www.cff.ch) ou de **Trenitalia** (www.trenitalia.com).

BUS

Eurolines (www.eurolines.com) relie Venise à Bordeaux, Dijon, Grenoble, Lyon, Metz, Nice, Paris, Perpignan et Strasbourg plusieurs fois par semaine. À titre indicatif, comptez environ 19 heures de trajet et 125 € l'aller-retour plein tarif depuis Paris ; et 13 heures et 100 € depuis Lyon.

Depuis la Belgique, des bus Eurolines effectuent le trajet Bruxelles à Venise plusieurs fois par semaine. Le voyage depuis Bruxelles dure environ 22 heures et l'aller-retour plein tarif coûte 150 €.

Eurolines ne dessert aucune ville en Suisse.

Tous les bus desservant Venise ont leur terminus sur le Piazzale Roma.

VOITURE

Vous pouvez aussi vous rendre à Venise avec votre véhicule personnel, mais n'oubliez pas que la circulation des voitures est interdite dans Venise et que vous devrez trouver (et payer) un parking. Il y en a plusieurs sur le Piazzale Roma et l'Isola del Tronchetto.

COMMENT CIRCULER

On peut se rendre à pied d'un point à un autre de Venise en

Gallerie dell'Accademia	Place Saint-Marc	Zanipolo
vaporetto n°2, 20 min	*vaporetto* n°2, 30 min	*vaporetto* n°41/51, 30 min
à pied, 20 min	à pied, 15 min	à pied, 15 min
vaporetto n°1, 20 min	*vaporetto* n°1, 35 min	*vaporetto* n°1, 35 min
–	à pied, 15 min	à pied, 30 min
à pied, 15 min	–	à pied, 15 min
à pied, 30 min	à pied, 15 min	–

moins d'une demi-heure. L'**Azienda Consorzio Trasporti Veneziano** (ACTV ; www.actv.it) gère les *vaporetti* desservant le centre de Venise et les îles de la lagune, notamment la Giudecca, le Lido, Murano, Burano et Torcello. Les arrêts de *vaporetto* sont signalés dans ce guide par le pictogramme 🚢.

CARTES DE TRANSPORT

Si vous projetez d'utiliser souvent les transports en commun, optez pour le **biglietto a tempo** (billet 12/24/36/48/72 heures 16/18/23/28/33 €, billet 7 jours 50 €), qui permet l'accès illimité à la plupart des *vaporetti* (à l'exception des lignes longue distance Alilaguna, Clodia et Fusina) ainsi qu'aux bus du Lido et de Mestre. Le temps d'utilisation court à compter de la première validation de votre billet dans l'une des machines installées aux embarcadères. Ce pass est en vente aux guichets **Hellovenezia** (☎ 041

2424 ; 🕑 8h-19h30 ; www.hellovenezia.com), à la **Stazione Santa Lucia** (carte p. 72-73, B5 ; Cannaregio ; 🕑 7h-20h30), **Piazzale Roma** (carte p. 100-101, B3 ; Santa Croce) et aux embarcadères de *vaporetto* Ferrovia, Rialto, Accademia, San Marco et San Zaccaria.

Hellovenezia propose aussi les pass transport et culture **VENICEcard** (junior/senior 3 jours 66/73 €, 7 jours 87/96 €), qui permettent l'utilisation illimitée des *vaporetti* au cours de la période choisie, donnent accès à 12 musées municipaux et à 16 églises, ainsi qu'aux toilettes payantes, et proposent des réductions pour certaines manifestations culturelles. On peut les acheter à l'**Azienda di Promozione Turistica** (APT ; carte p. 42-43, G5 ; ☎ 041 5298711 ; www.turismovenezia.it ; Piazza San Marco 71f, San Marco ; 🕑 9h-15h30 lun-sam ; 🚢 San Marco) ou aux guichets Hellovenezia.

Les 15-29 ans (pièce d'identité exigée) peuvent se procurer dans les points Hellovenezia la **Rolling**

VeniceCard (4 €), qui permet d'acheter un forfait transport de 72 heures au prix de 18 € et d'obtenir des réductions pour certains sites et manifestations culturelles.

VAPORETTO

Plusieurs lignes empruntent le Grand Canal. Certaines assurent un service plus rapide, dit *limitato* (c'est-à-dire que les bateaux ne s'arrêtent pas partout). La ligne n°1 dessert tous les arrêts entre Ferrovia et San Marco (entre 30 et 45 min).

Vous devez être muni d'un ticket et le composter, avant de monter à bord, dans les machines jaunes situées sur le quai. Le billet simple coûte 6,50 €, ce qui rend les forfaits (p. 181) très avantageux. Les horaires sont consultables en ligne sur www.actv.it, ainsi qu'aux arrêts, où l'on trouve aussi souvent des panneaux à affichage numérique indiquant l'heure des prochains passages. Certaines lignes démarrent dès 5h30, et le dernier bateau passe sur certaines à 21h. Un *vaporetto* de nuit (N) dessert le Grand Canal, le Lido et la Giudecca jusqu'à 4h30.

TRAGHETTO

À la fois pratiques et pittoresques, ces gondoles du pauvre permettent de passer d'une rive à l'autre du Grand Canal en des points déterminés (signalés par des panneaux dans les rues parallèles -au Grand Canal). On voyage debout, pour 2 €. Certains

fonctionnent de 9h à 18h environ, d'autres arrêtent leur service à midi.

GONDOLE

La gondole est plus qu'un simple moyen de transport, c'est l'occasion d'avoir un point de vue différent sur les palais et les cours intérieures. Le tarif officiel s'élève à 80 € les 40 minutes dans la journée, 100 € de 19h à 8h, sans compter les pourboires et les airs d'opéra… Au-delà des 40 premières minutes, on paie par tranche de 20 minutes (40/50 € de jour/de nuit). Vous obtiendrez peut-être une réduction les jours de temps couvert, ou bien à midi, lorsque la faim et la chaleur ont raison des autres touristes. Avant le départ, mettez-vous d'accord avec le gondolier sur le prix, la durée et la prestation musicale.

Les gondoles stationnent aux *stazi* (embarcadères) situés le long du Grand Canal et près des principaux monuments, en particulier I Frari, le pont des Soupirs et les Gallerie dell'Accademia. On peut aussi réserver par téléphone au ☎ 041 5285075.

BATEAU-TAXI

Des vedettes habillées de teck, pour se déplacer dans Venise comme James Bond… Le tarif officiel s'élève à 8,90 € (prise en charge, 6 € de supplément si l'on vient vous chercher à l'hôtel), plus 1,80 € la minute. Un supplément est exigé pour les courses de nuit, les bagages et les groupes importants – de sorte que le moindre trajet revient entre 60 et 90 €. Si toutefois vous avez des bagages lourds et encombrants, ou si vous formez un groupe de 10 à 20 personnes, le bateau-taxi reste la meilleure solution. Les taxis sont munis d'un compteur, mais vous pouvez aussi négocier un prix à l'avance. Comptez environ 60 € pour aller du Rialto à San Marco. Vous pouvez commander un bateau-taxi au ☎ 041 5222303 ou au ☎ 041 2406711.

N'écoutez pas les propriétaires de bateaux du Piazzale Roma lorsqu'ils affirment qu'il n'y a pas d'arrêt de *vaporetto* à proximité : ces arrêts se trouvent devant la gare routière.

BUS
Des bus au départ du Piazzale Roma (carte p. 100-101, B4) desservent Mestre et plusieurs destinations sur le continent. D'autres circulent sur le Lido. Les tickets, à 1 € (9 € le carnet de 10), sont en vente chez les marchands de journaux et dans les débits de tabac. Ils sont valables une heure après le compostage. Les horaires, généralement affichés aux arrêts, sont consultables sur www.actv.it.

RENSEIGNEMENTS
ARGENT
La monnaie est l'euro (€). Voir les taux de change au verso de la couverture.

L'hébergement est le principal poste de dépenses. Pour les repas, les prix démarrent à 2 ou 3 € pour quelques *cicheti* (tapas vénitiennes) – beaucoup plus au Harry's Bar – ou une part de pizza. Un verre (*ombra*) de *prosecco* coûte entre 1,50 et 4 €, un expresso au comptoir entre 0,80 et 1 €. Plutôt que d'acheter de l'eau en bouteille, faites un geste pour l'environnement et commandez juste un verre d'eau minérale au bar (de 0,20 à 0,50 €). Et si la fatigue vous saisit dans vos déambulations, le *vaporetto* vous transportera pour 6,50 €. La gondole, à 80 € les 40 minutes, constitue non pas un moyen de transport, mais une mémorable balade sur les canaux.

HANDICAPÉS
Vous trouverez un **bureau d'assistance aux handicapés** (carte p. 72-73, B5 ; Stazione Santa Lucia, Cannaregio ; 🕐 7h-21h) en face du quai n°4 à la Stazione Santa Lucia. Pour en savoir plus sur l'accessibilité de la ville, vous pouvez contacter **Informahandicap** (carte p. 42-43, G5 ; ☎ 041 2748144 ; www.comune.venezia.it/ informahandicap ; San Marco ; 🕐 15h-17h mer).

HEURES D'OUVERTURE
En règle générale – les choses peuvent changer en août et en hiver –, les commerces ouvrent du lundi au samedi de 9h à 13h et de 15h30 à 19h30. La plupart des cafés sont ouverts le dimanche,

CARNET PRATIQUE

certains fermant en revanche le lundi ou le mardi. Voir au verso de la couverture pour plus d'informations.

INTERNET

Quelques sites utiles :

2venice.it (www.2venice.it). Événéments, boutiques, hôtels et vie nocturne.

Comune di Venezia (www.comune.venezia.it). Le site de la mairie de Venise fournit de nombreuses infos pratiques sur les musées, le Grand Canal ou encore les mariages !

Musei Civici di Venezia (www.museicivici veneziani.it). Le site des musées de la ville de Venise.

Office du tourisme de Venise (www. turismovenezia.it). Vente de billets et programme des manifestations culturelles.

Un hospite di Venezia (www.aguestin venice.com). Programme des expositions, conférences et autres manifestations.

Save Venice (www.savevenice.org).

Venezia da Vivere (www.veneziadavivere. com). Le guide de la Venise branchée. Concerts, expos, vie nocturne, créateurs, etc.

Venice Explorer (http://venicexplorer.net). Adresses (avec plan) de restaurants, magasins et sites touristiques.

Weekend a Venezia (http://fr.venezia.waf. it). Billets de dernière minute et à tarif réduit pour les principaux sites.

Quelques cybercafés :

Internet Point San Barnaba (carte p. 110-111, D3 ; ☎ 041 2770926 ; Campo San Barnaba 2759, Dorsoduro ; 3 €/ 20 min ; ⏱ 9h-13h30 et 15h30-19h lun-sam).

Net Gate (carte p. 110-111, E5 ; ☎ 041 2440213 ; Crosera San Pantalon, Dorsoduro ; 8 €/h ; ⏱ 9h30-19h lun-sam).

VeNice (carte p. 72-73, B5 ; ☎ 041 2758217 ; Rio Terà Lista di Spagna 149, Cannaregio ; 8 €/1 h ; ⏱ 9h-23h).

World House (carte p. 60-61, B3 ; ☎ 041 5284871 ; www.world-house.org ; Calle della Chiesa 4502, Castello ; 1h/3h 8/18 € ; ⏱ 10h-23h).

JOURS FÉRIÉS

1er janvier	Jour de l'An
6 janvier	Épiphanie
Mars/avril	Vendredi saint
Mars/avril	Lundi de Pâques
25 avril	Jour de la Libération
1er mai	Fête du Travail
15 août	Assomption
1er novembre	Toussaint
8 décembre	Fête de l'Immaculée Conception
25 décembre	Noël
26 décembre	Saint Stéphane

LANGUE

À l'heure de l'apéritif, osez enrichir votre italien de quelques mots de dialecte vénitien. Vous aurez sans aucun doute un petit succès dans le *bacaro* (bar).

Santé !	*Sanacapána!*
Vin ordinaire	*brunbrún*
Verre (de vin)	*ombra*
Happy hour	*giro di ombra*
Quelle chance !	*Bénpo !*
Ça m'est égal	*De rufe o de rafe*
Oh non !	*Siménteve !*
Attention !	*Ócio !*
Parfait	*In bróca*
Faire comme les Vénitiens	*venexianárse*

Faire la fête sans compter	*far el samartinéto*
Bienvenue !	*Benvegnú !*
Oui monsieur !	*Siorsi !*
Tu parles !	*Figurárse !*
Vous [apostrophe]	*voaltrí*
Vénitien (h/f)	*venexiano/a*

OFFICES DU TOURISME

L'office du tourisme, **Azienda di Promozione Turistica** (APT ; ☎ 041 5298711 ; www.turismovenezia.it) dispose de plusieurs bureaux dans la ville.
Aéroport Marco Polo (⌚ 9h30-19h30). Hall des arrivées.
Place Saint-Marc (carte p. 42-43, G5 ; Piazza San Marco 71f, San Marco ; ⌚ 9h-15h30 lun-sam). Le principal office du tourisme.
Piazzale Roma (carte p. 100-101, B3 ; Santa Croce ; ⌚ 9h30-13h et 13h30-18h30 avr-oct ; 13h30-16h30 nov-mar).
Stazione Santa Lucia (carte p. 72-73, B5 ; Cannaregio ; ⌚ 8h-18h30).

POURBOIRE

Il est d'usage de laisser un pourboire de 10% dans les restaurants où le service n'est pas compris. Dans les cafés, vous pouvez laisser la petite monnaie. Dans les hôtels, prévoyez 1 € par valise pour le bagagiste.

RÉDUCTIONS

La **Carte Chorus** (☎ 041 2750462 ; www.chorusvenezia.org ; adulte/étudiant de l'UE de moins de 29 ans/famille 10/7/20 €), valable un an, permet d'accéder à 16 églises (une seule entrée). Elle est en vente dans les 16 églises participant à l'opération.

Le **Museum pass** (www.museicivici venezianti.it ; adulte/enfant 18/12 €), valable six mois, est un billet combiné pour les 11 musées de la ville de Venise, les Musei Civici. Une formule réduite (adulte/enfant 13/7,50 €) permet d'accéder aux cinq musées de la place Saint-Marc et des alentours. On peut acquérir ces pass sur le site des Musei Civici, à l'office du tourisme (voir ci-contre), ainsi que dans les musées concernés.

Voir aussi les informations sur la VeniceCard (p. 181) et la Rolling VeniceCard (p. 181).

TÉLÉPHONE

Le réseau italien est compatible avec le réseau français et vous pourrez utiliser votre téléphone portable à Venise (attention au coût très élevé). Il y a des téléphones Telecom Italia (orange) à pièces sur les grandes places.

INDICATIFS

L'indicatif de la ville (à composer systématiquement) est le ☎ 041 ; les numéros de portable ne commencent pas par 0. Pour appeler Venise depuis l'étranger, composez le ☎ 39 (indicatif de l'Italie).

NUMÉROS UTILES

Voir au verso de la couverture la liste des numéros utiles, en particulier ceux des services d'urgence et des renseignements.

>INDEX

Reportez-vous aussi aux index Voir *(p. 188)*, Shopping *(p. 189)*, Se restaurer *(p. 190)*, Prendre un verre *(p. 191)*, Sortir *(p. 192) et* Se loger *(p. 192)*.

Pages des cartes en **gras**

◉ VOIR

📷 SHOPPING

INDEX

🍽 SE RESTAURER

▼ PRENDRE UN VERRE

Pages des cartes en **gras**